LA GESTION MENTALE
Au cœur de l'apprentissage

Compréhension de lecture

Lucille Paquette Chayer

Avec la collaboration de

Danielle Bertrand-Poirier
Claire Côté
Francesca Gianesin

Chenelière/McGraw-Hill
MONTRÉAL • TORONTO

Gestion mentale
Au cœur de l'apprentissage
Compréhension de lecture

Lucille Paquette Chayer et coll.

Coordination : Denis Fallu
Révision linguistique et correction d'épreuves : Anne-Marie Théorêt
Infographie : Bernard Bérubé
Couverture : Josée Bégin
Illustrations : Sylvie Nadon

Données de catalogage avant publication (Canada)

Chayer, Lucille P.

Compréhension de lecture
(La gestion mentale. Au cœur de l'apprentissage)

ISBN 2-89461-359-8

1. Lecture – Compréhension. 2. Apprentissage cognitif.
3. Représentation mentale chez l'enfant. I. Titre. II. Collection.

LB1050.45.C45 1999 372.47 C99-941423-2

Chenelière/McGraw-Hill
7001, boul. Saint-Laurent
Montréal (Québec)
Canada H2S 3E3
Téléphone : (514) 273-1066
Télécopieur : (514) 276-0324
chene@dlcmcgrawhill.ca

ISBN 2-89461-359-8

Dépôt légal : 1er trimestre 2000
Bibliothèque nationale du Québec
Bibliothèque nationale du Canada

3 4 5 A 04 03 02 01

Nous reconnaissons l'aide financière du Canada par l'entremise du Programme d'Aide au Développement de l'Industrie de l'Édition pour nos activités d'édition.

L'Éditeur a fait tout ce qui était en son pouvoir pour retrouver les copyrights. On peut lui signaler tout renseignement menant à la correction d'erreurs ou d'omissions.

TABLE DES MATIÈRES

Guide général

Guide de l'accompagnateur

Annexes

Exemples de textes

Fiches de l'enseignant

Fiches des parents

Fiche de l'élève

Guide général

La gestion mentale au cœur de l'apprentissage

Le triangle de la réussite : enfants, enseignants et parents

Le lien étroit entre la démarche d'apprentissage de l'enfant, l'intervention de l'enseignant et le soutien des parents est indissociable. Nous sommes conscientes de la disparité entre le savoir des parents, l'apprentissage de l'enfant et les objectifs poursuivis par les pédagogues. Nous proposons donc un matériel permettant l'unité des interventions tout en guidant l'élève vers une bonne gestion de ses ressources internes, sa gestion mentale.

Le rôle de l'accompagnateur (parent, enseignant, orthopédagogue...) consiste à :

- aider l'élève à observer ce qui se produit dans sa tête au moment où il apprend. Cette introspection lui permet de prendre conscience des opérations mentales qu'il doit effectuer pour intégrer des connaissances ;
- faire des propositions pédagogiques permettant d'orienter l'élève, qui éprouve des difficultés, vers les gestes mentaux nécessaires à la bonne compréhension et à l'exécution de la tâche ;
- consolider l'utilisation des stratégies adéquates et à encourager la gestion autonome des gestes mentaux.

Le rôle de l'enfant consiste à :

- se mettre en projet et à s'investir dans l'apprentissage ;
- être attentif, c'est-à-dire re-voir, re-dire ou ré-entendre dans sa tête l'objet de perception[1];
- confronter ses nouvelles évocations avec ses acquis antérieurs ;
- se projeter dans un avenir où il aura à réutiliser ces connaissances.

1. Dans le contexte de la gestion mentale, re-voir, re-dire et ré-entendre signifient « faire cette action dans sa tête » et non « faire cette action une deuxième fois ».

Le projet de sens

Le projet d'apprendre agit comme moteur de l'activité mentale ; il en est la toile de fond qui guide et anime les gestes mentaux. Lorsque l'élève est en projet, sa tête et son corps investissent les efforts nécessaires pour atteindre l'objectif visé.

Antoine de La Garanderie définit le projet de sens comme étant : « l'acte mental par lequel l'individu humain structure implicitement ou explicitement – dans ce dernier cas par des évocations visuelles, auditives, verbales ou par implexes moteurs – l'activité corporelle ou intellectuelle à laquelle il va se livrer ».

Tous peuvent réussir s'ils s'en donnent le projet !

L'intention, le projet de sens, la mise en projet

L'intention :

- L'intention donne une direction à l'élève ; elle lui fixe un objectif, par exemple lire un texte avec l'intention d'en dégager l'idée principale. Cette notion est reliée à la tâche de lecture elle-même.

Le projet de sens :

- Dans la pédagogie de la gestion mentale, le projet dépasse l'intention pour devenir force d'anticipation. Cela mobilise l'élève dans un processus dynamique qui donnera sens aux gestes mentaux qu'il mettra en œuvre pour atteindre son but. Cette notion est davantage reliée à l'individu lui-même et prend en compte tant le but que les moyens.

- Le projet est initié par l'élève qui a le désir de réussir. L'enseignant peut faire des suggestions de projet, mais l'élève, en plus ou malgré ces suggestions, a un projet de sens qui l'anime et intensifie son activité mentale.

La mise en projet :

- L'enseignant connaît la finalité de la tâche qu'il propose à ses élèves (attention, mémorisation, compréhension, réflexion ou imagination). Lors de la mise en projet, il donne des consignes précises à l'élève pour que celui-ci pose les gestes mentaux nécessaires à l'accomplissement de sa tâche.

La pédagogie de la gestion mentale

LE PROJET DE SENS

oriente les gestes mentaux

d'attention, de mémorisation, de compréhension, de réflexion, d'imagination

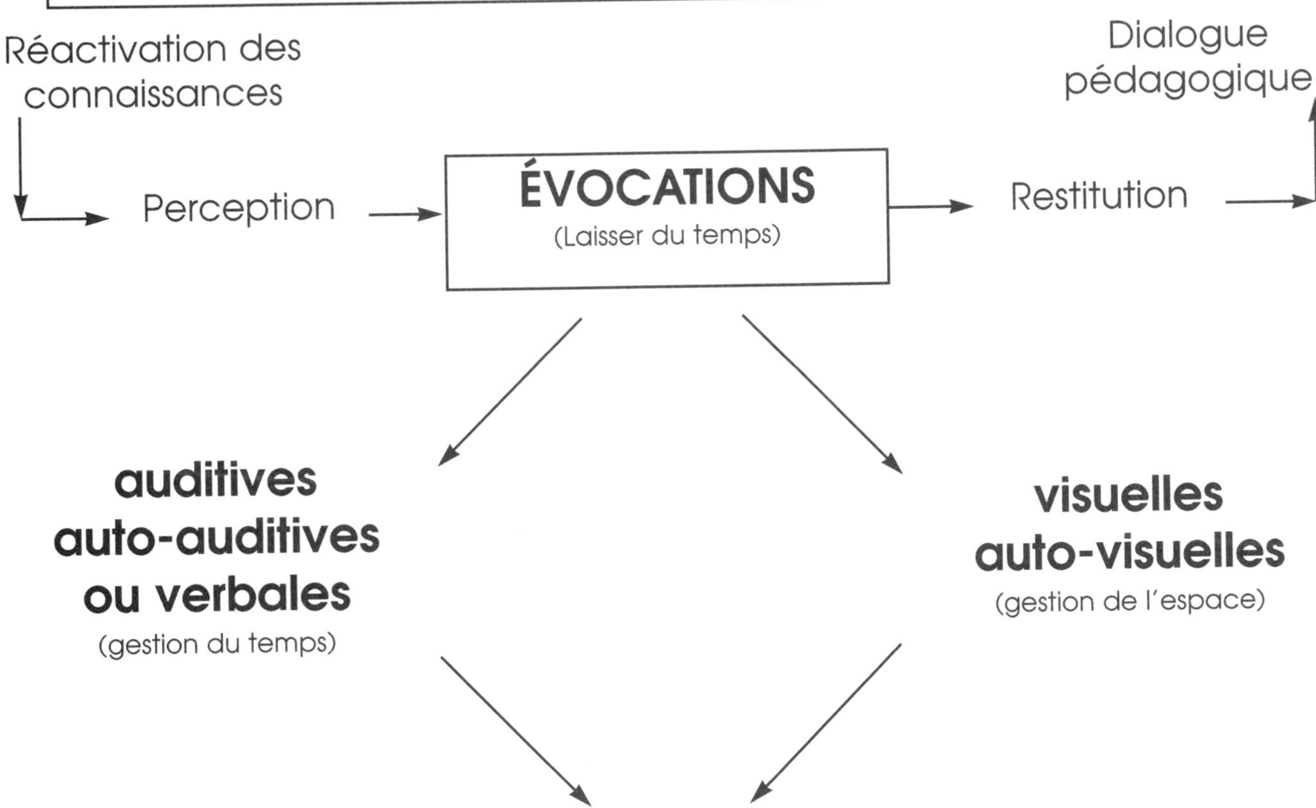

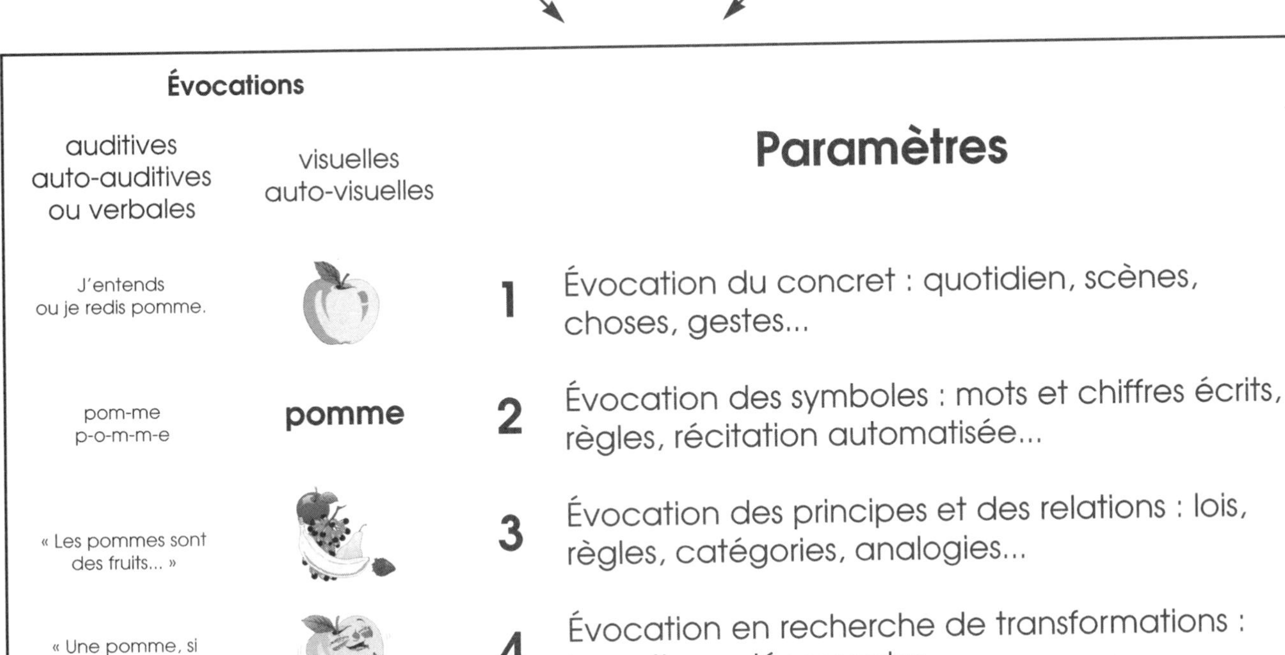

Évocations auditives auto-auditives ou verbales	Évocations visuelles auto-visuelles		Paramètres
J'entends ou je redis pomme.		1	Évocation du concret : quotidien, scènes, choses, gestes...
pom-me p-o-m-m-e	**pomme**	2	Évocation des symboles : mots et chiffres écrits, règles, récitation automatisée...
« Les pommes sont des fruits... »		3	Évocation des principes et des relations : lois, règles, catégories, analogies...
« Une pomme, si j'ajoutais... »		4	Évocation en recherche de transformations : inventions, découvertes.

Les gestes mentaux

Le geste d'attention

Par ce geste mental, l'élève fait exister mentalement l'objet perçu.

Pour être attentif, l'élève :

- entend avec le projet de ré-entendre, voir ou dire dans sa tête ;
- regarde avec le projet de re-voir, dire ou entendre dans sa tête.

PERCEPTION

Avant même de le percevoir, je me donne le projet d'évoquer l'objet.

L'objet est présent.

Je peux le sentir, le goûter, le voir, le toucher et entendre le son qu'il produit.

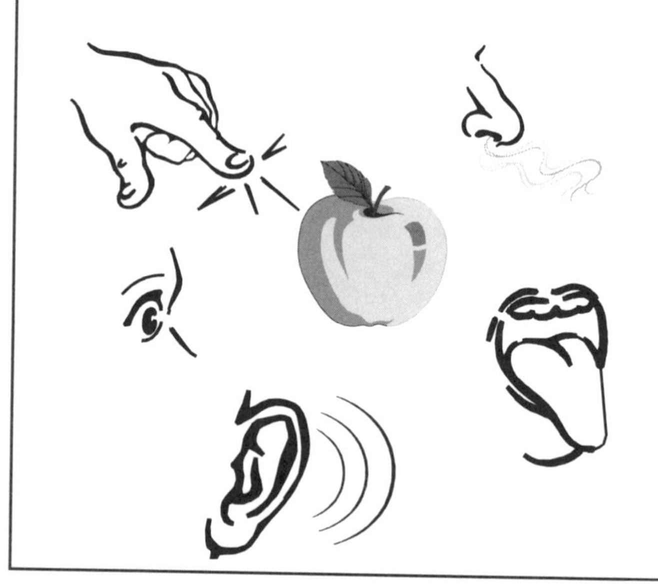

Quand j'observe un objet, avec le projet de l'évoquer, je peux :

- regarder l'objet ainsi que tous les détails qui le composent ;
- me parler de cet objet ;
- préciser ma perception en me décrivant les détails de l'objet ;
- écouter une personne me dire les détails que je dois observer.

ÉVOCATION

L'objet est absent.

Quand l'objet n'est plus là,
je le fais revenir dans ma tête, soit :

- en me parlant de cet objet et des détails que j'ai perçus ;
- en revoyant l'objet perçu avec tous les détails qui le composent.

Le geste de mémorisation

Par ce geste mental, l'élève place ce qu'il veut retenir dans un imaginaire d'avenir.

Pour mémoriser, l'élève :

- a le projet de mémoriser, c'est-à-dire re-voir, ré-entendre ou re-dire (geste d'attention) dans une évocation d'avenir ;
- encode ce qu'il veut mémoriser (il se donne des trucs mnémotechniques pour mieux fixer et retrouver l'objet à mémoriser) ;
- évoque visuellement ou auditivement l'objet et le truc (il effectue des allers-retours jusqu'à ce que l'objet évoqué soit conforme à l'objet de perception) ;
- réactive l'objet et le truc évoqués (il s'entraîne à réciter ce qui a été évoqué dans une situation future d'utilisation).

Selon A. de La Garanderie : « La mémoire est une fonction de relation à l'avenir. Son projet est de lancer dans l'imaginaire de l'avenir ce que l'on veut y retrouver. » Les personnes qui apprennent sans avoir de projet d'avenir, qui font un simple acte de répétition dans le présent, ne mémorisent pas.

Voici, pour mieux saisir, un exemple qui illustre le geste de mémorisation.

L'élève projette de mémoriser le mot pomme. Il encode la difficulté (truc mnémotechnique). Il évoque visuellement ou auditivement le mot. Il imagine l'utilisation future qu'il fera de ce mot.

Perception	Perception	Évocation du mot (P2)	Évocation d'un avenir de réutilisation (P1)
 Je vois le mot pomme ou j'entends le mot pomme.	J'observe la difficulté ; je me dis que dans pomme il y a deux « m ».	Je vois, j'entends, je me dis le mot pomme et sa difficulté.	J'imagine la situation où j'aurai à utiliser le mot pomme.
		po-mm-e pom-me	
pomme	po-**mm**-e po**m**-**me**		

Le geste de compréhension

Par ce geste mental, l'élève confronte ce qu'il évoque et ce qu'il perçoit avec le projet de donner sens à l'objet de perception.

Pour comprendre, l'élève :

- évoque ce qui est perçu (évocations visuelles, verbales ou auditives). Si l'élève évoque visuellement, il comprend dans le cadre de l'espace. Sa compréhension surgit à partir d'une évocation visuelle de globalité qu'il enrichira progressivement, qu'il détaillera. Si l'élève évoque auditivement, il comprend dans le cadre du temps. Il prend appui sur des repères chronologiques (d'abord, après, enfin) ;

- fait des allers-retours entre ce qu'il perçoit et ce qu'il évoque.

Voici, pour mieux saisir, un exercice qui illustre le geste de compréhension.

Après avoir lu la phrase dans l'encadré, observez votre procédure mentale. Comment avez-vous fait pour évoquer la phrase ? Pour répondre à la question ? Prenez le temps de créer un « ralenti mental », de faire de l'introspection. Ensuite, lisez la remarque sous l'encadré.

> Paul mange une pomme, un sandwich tomate et laitue et de la macédoine.
>
> Quel est le repas de Paul ?

Vous avez probablement fait des évocations visuelles, verbales ou auditives (paramètres 1 et 2) de la phrase perçue et vous lui avez donné un sens. En répondant à la question, vous avez fait appel à vos images auditives, verbales ou visuelles. Vous avez donc fait un geste de compréhension.

Le geste de réflexion

Par ce geste mental, l'élève fait un retour sur ses acquis (connaissances, règles, expériences) avec le projet de les utiliser pour répondre à une question ou résoudre un problème.

Pour réfléchir, l'élève :

- évoque ce qui est perçu (évocations visuelles, verbales ou auditives) ;
- confronte ces évocations à ses acquis ;
- choisit parmi ces évocations celles qui lui serviront le mieux et les « fléchit » pour leur donner la forme qui répond à la question posée.

Voici, pour mieux saisir, un exercice qui illustre le geste de réflexion.

Après avoir lu la phrase dans l'encadré, observez votre procédure mentale. Comment avez-vous fait pour évoquer la phrase ? Pour répondre à la question ? Prenez le temps de créer un « ralenti mental », de faire de l'introspection. Ensuite, lisez les remarques sous l'encadré.

Paul mange une pomme, un sandwich tomate et laitue et de la macédoine.

Quels fruits Paul mange-t-il ?

Vous avez fait des évocations visuelles, verbales ou auditives (paramètres 1, 2 et 3) de la phrase perçue. Vous avez confronté vos évocations à vos acquis : votre connaissance des fruits et des légumes.

« La pomme est un fruit (analogie de similitude). Dans le sandwich, il y a de la laitue, mais la laitue n'est pas un fruit (analogie de différence). Il y a aussi des tranches de tomate, et la tomate est un fruit (analogie de similitude). Dans la macédoine, si c'en est une de légumes, il y a des carottes, des fèves et des petits pois ; ce sont des légumes (analogie de similitude) ou ce ne sont pas des fruits (analogie de différence). »

Lorsque vous avez répondu à la question, vous avez choisi, parmi vos évocations, les plus utiles et vous les avez « fléchies » pour leur donner la forme qui répondait à la question posée. Vous avez donc fait un geste de réflexion.

Le geste d'imagination

Par ce geste mental, l'élève écoute ou regarde le monde avec le projet de découvrir ou d'inventer.

Pour imaginer, l'élève :

- évoque ce qui est perçu (évocations visuelles, verbales ou auditives) ;
- s'approprie ce qu'il perçoit (il s'incarne dans l'objet ou il l'accompagne) ;
- effectue des transformations ;
- anticipe l'utilisation future de cet objet transformé.

Avant même de percevoir l'objet, l'élève projette de rechercher dans ce qui est vu, ce qui peut être vu autrement ; dans ce qui est entendu, ce qui peut être entendu différemment.

Certains élèves visent à la découverte, d'autres à l'invention. La démarche des découvreurs diffère de celle des inventeurs.

L'inventeur :

- Son projet est de transformer, d'ajouter quelque chose à la réalité pour l'améliorer, pour pallier un manque. Son projet vise l'application.
- Il cherche le comment des choses. Il a l'intelligence de ce qui peut être.
- Il s'intéresse aux objets fabriqués ; il a la curiosité de leurs mécanismes.
- Il a le sentiment que c'est autre chose que ce qu'on lui explique qui lui permettrait de comprendre; il est trop longtemps insatisfait.

Le découvreur :

- Son projet est de mieux connaître les richesses de cette réalité pour l'exploiter, lui apporter un sens nouveau. Son projet vise l'explication.
- Il cherche le pourquoi des choses. Il a l'intelligence de ce qui est.
- Il cherche des explications à des phénomènes que la nature lui offre ; il s'intéresse plus aux êtres qu'aux objets.
- Il a le sentiment de comprendre ce qu'on lui explique; il est trop vite satisfait.

Les familles évocatives

Les évocations visuelles et auto-visuelles

L'élève qui évoque visuellement a pris l'habitude de se donner des images visuelles de ce qu'il perçoit (ce qu'il voit ou entend).

On retrouve deux types d'évocations :

- Visuelles : l'élève évoque des images telles qu'il les a perçues. Il reste en quelque sorte extérieur à ses évocations. Ce type s'appelle aussi une évocation de troisième personne.
- Auto-visuelles : l'élève est plus engagé dans les évoqués. Il personnalise l'image qu'il construit ou se voit présent dans cette image. Ce type s'appelle aussi une évocation en première personne.

Les évocations auditives et auto-auditives (verbales)

L'élève qui évoque auditivement a pris l'habitude de se donner des images auditives de ce qu'il perçoit (ce qu'il voit ou entend).

On retrouve deux types d'évocations :

- Auditives : l'élève ré-entend les sons, les voix ou les commentaires tels qu'il les a entendus. Ce type s'appelle aussi une évocation de troisième personne.
- Auto-auditives ou verbales : l'élève re-dit textuellement ou à sa manière les propos entendus. Ce type s'appelle aussi une évocation en première personne.

Les évocations mixtes

L'élève, après l'évocation dominante (visuelle, auditive ou verbale), peut avoir un prolongement vers d'autres types d'évocations (une évocation visuelle peut être suivie d'une évocation auditive et vice versa).

Les domaines d'évocation

Vous pouvez connaître les habitudes évocatives de vos élèves, mais cela ne suffit pas pour évaluer en profondeur leur profil d'apprentissage. Une investigation plus minutieuse s'avère nécessaire pour déterminer quels paramètres d'évocation l'élève utilise dans les différentes tâches proposées. « Or, sans la connaissance des paramètres pédagogiques, pas d'évaluation juste des élèves. » Cette citation d'Antoine de La Garanderie révèle toute son importance lorsqu'il s'agit d'aider un enfant en difficulté dans une tâche de compréhension de lecture. L'auteur a observé et décrit quatre paramètres. En voici une courte définition, accompagnée d'illustrations.

Paramètre 1 : L'élève évoque visuellement ou auditivement du concret (le quotidien, les êtres, les scènes, les objets, les gestes).

Paramètre 2 : L'élève évoque visuellement ou auditivement des éléments appris par cœur (mots, chiffres, symboles).

Paramètre 3 : L'élève évoque visuellement ou auditivement des principes, des relations (lois, règles, catégories, rapports de cause à effet).

Paramètre 4 : L'élève évoque visuellement ou auditivement des éléments inédits (invention, découverte).

Le tableau ci-dessous illustre comment, à partir d'une perception auditive, un élève peut se représenter, « évoquer » ce qu'il a perçu.

Perception auditive du mot pomme : évocations dans les différents paramètres

	P1	P2	P3	P4
Évocations auditives ou verbales	J'entends ou je dis le mot pomme dans ma tête.	J'entends ou j'épelle le mot : p-o-m-m-e.	J'entends ou je dis ce que je connais des pommes.	Je peux entendre ou parler de la transformation d'une pomme.
Évocations visuelles ou auto-visuelles	Je vois une pomme ou ma pomme dans ma tête.	Je vois le mot pomme dans ma tête. **pomme**	Je vois ce que je connais des pommes.	Je peux voir la transformation d'une pomme.

Le dialogue pédagogique

Le dialogue pédagogique est un échange verbal pendant lequel l'accompagnateur, par les techniques de reformulation (selon Carl Rogers), aide l'élève à faire émerger dans sa conscience les procédures mentales qu'il utilise. Ce dialogue pédagogique peut s'engager à tout moment : avant, pendant ou après une leçon. Il peut se faire avec un élève ou dans un groupe-classe.

Les questions restent ouvertes et portent sur le « comment » et non sur le « pourquoi » ; elles ne doivent être ni trop vagues ni trop inductrices.

- L'accompagnateur se renseigne d'abord sur les procédures mentales dont l'élève fait usage pour s'approprier le savoir :
  - Raconte-moi ce qui s'est passé dans ta tête quand tu as lu ce texte.
  - Je ne sais pas.
  - Est-ce que tu as entendu la voix de ton enseignante ou une autre voix lire à ta place ? Ou bien alors, as-tu fait des images ou un film dans ta tête ?
  - J'ai imaginé l'histoire, je la voyais comme sur un écran...

- Ensuite, l'accompagnateur renseigne l'élève sur les procédures mentales dont il pourrait faire usage pour s'approprier le savoir :
  - Bien, je vais te proposer quelque chose. Comme tu as de la facilité à comprendre un texte lorsque tu fais un film dans ta tête, tu pourrais utiliser cette façon de faire quand...

Le dialogue pédagogique est utile à l'élève et à l'accompagnateur. Grâce à cette analyse introspective, l'élève prend conscience de son fonctionnement mental. Il pourra par la suite choisir de modifier ses stratégies selon qu'elles sont aidantes ou nuisibles pour lui. L'élève devient ainsi plus autonome et responsable de ses apprentissages.

Le dialogue pédagogique est aussi d'une grande utilité pour l'accompagnateur. Les réponses de l'élève lui permettent de comprendre ce qui s'est passé dans la tête de celui-ci. Il peut ainsi mieux cerner ses difficultés et ses forces et ajuster ses interventions. Pour conduire un dialogue pédagogique, l'accompagnateur doit connaître son fonctionnement mental et s'ouvrir à celui des autres. Si vous désirez approfondir le sujet, nous vous recommandons fortement de lire *Le dialogue pédagogique avec l'élève*, d'Antoine de La Garanderie, paru aux Éditions du Centurion, Paris,1984.

Les étapes d'une pédagogie de la gestion mentale

La mise en projet

Le projet est le moteur de l'évocation ; vous devez vous en donner un pour agir. Le projet donne la direction aux gestes mentaux. Lorsque vous avez un projet, vous écoutez, questionnez, observez et sélectionnez l'information qui vous permettra d'atteindre ce projet. Vous avez donc à donner la bonne direction à l'élève pour qu'il pose les gestes mentaux nécessaires à l'accomplissement de sa tâche.

La réactivation des connaissances antérieures

L'apprentissage ne se fait pas que dans le temps présent, il a aussi un passé et un avenir. La mise en projet, c'est aussi inviter l'élève à se donner le projet de faire revenir ses acquis (passé), d'analyser l'information présentée (présent) et de s'imaginer dans une situation future où il aura à réutiliser cette information (avenir). Réactiver les connaissances antérieures comporte de nombreux avantages pédagogiques :

- Cela incite l'élève à évoquer.
- Comme il évoque ce qu'il connaît, il se sent rassuré et chez plusieurs, cela diminue les émotions paralysantes ou précipitantes.
- Ayant d'abord sollicité ses acquis, l'élève se voit dirigé vers un geste de réflexion : ses acquis sont mobilisés dans sa pensée sous forme de représentations concrètes ou symboliques et seront confrontés au texte lu.

La présentation du projet

Avant même de présenter la leçon, vous placez les élèves en projet d'évoquer ce que vous allez leur présenter (geste d'attention). Après avoir présenté la leçon de façon auditive et visuelle, vous enlevez l'objet de perception (afin de vous assurer que l'élève évoque ce qui est présenté), vous laissez un temps d'évocation et engagez un dialogue pédagogique pour aider les élèves à préciser leurs évocations.

La réalisation de la tâche

Pendant la réalisation de la tâche, l'accompagnateur peut en profiter pour observer les copies des élèves, les interroger, diriger au besoin leurs évocations, les aider à faire des liens avec leurs connaissances antérieures. Il peut aussi les amener à prendre conscience de la procédure mentale qu'ils utilisent lorsqu'ils sont performants (fiche de l'élève). Le transfert de ces procédures mentales dans des activités qu'ils maîtrisent mal devrait leur être très utile ultérieurement.

La réactivation

Sans réactivation, il n'y a pas de mémorisation possible ; il y a connaissance mais non apprentissage. L'élève doit donc projeter les procédures mentales et les connaissances dans l'imaginaire d'avenir où elles seront utilisées. Cette représentation « d'avenir de réutilisation » sera présente à l'esprit de l'élève lorsqu'il aura besoin de retrouver l'information. Plus les situations de réactivation se font dans des domaines variés, plus il y a transfert de connaissances dans d'autres disciplines.

Guide de l'accompagnateur

Mise en garde

Ce document est le fruit de nos réflexions, échanges et applications de la pédagogie de la gestion mentale. Dans ce guide sur la compréhension de lecture, vous trouverez :

- des activités progressives permettant l'appropriation des gestes mentaux nécessaires à la bonne compréhension des textes ;
- des pistes de réflexion ;
- des fiches qui s'adressent à l'enseignant, aux parents et à l'élève.

Les activités

Les activités ont été préparées et expérimentées dans plusieurs écoles de la région de Laval, de Montréal et de la Rive-Sud. Elles sont présentées à titre d'exemples ; vous pourrez vous en servir et les faire évoluer selon vos besoins et ceux de vos élèves. Si vous utilisez ces activités comme de simples exercices, cela limiterait leur efficacité et leur ferait perdre tout leur sens.

Après ces quelques expérimentations, nous espérons que la pédagogie de la gestion mentale s'intégrera aisément à votre enseignement. En gardant à l'esprit les étapes de celle-ci, vous pourrez guider plus facilement les élèves dans l'appropriation de leurs démarches mentales qui les aidera à mieux réussir (voir Les étapes d'une pédagogie de la gestion mentale, page 14).

Les pistes de réflexion

Dans cette partie du cahier, nous vous offrons quelques voies d'exploration qui pourront enrichir vos réflexions et vous mettre sur la piste d'une solution pour pallier certaines difficultés éprouvées par vos élèves.

Les fiches de l'enseignant, des parents et de l'élève

Avant de présenter les activités à vos élèves, nous vous suggérons de lire les fiches de l'enseignant et de l'élève.

Les fiches adressées à l'enseignant vous permettront de connaître le mode d'évocation de vos élèves et vous donneront des renseignements sur l'utilisation de la fiche de l'élève ainsi que sur la manière de la remplir.

Les fiches adressées aux parents leur permettront d'identifier le mode d'évocation de leur enfant et leur donneront des renseignements sur la manière de procéder pour l'aider.

La fiche adressée à l'élève vous permettra, grâce à la numérotation, d'indiquer rapidement aux enfants les étapes qu'ils ont oubliées. Les élèves seront ainsi plus en mesure de prendre conscience de leurs omissions et des procédures mentales qui les aident à se représenter leurs textes.

Avant-propos

Le geste mental de compréhension est une activité introspective caractérisée par le projet de donner du sens à l'objet de perception ; il s'agit donc d'évoquer ce qui est perçu pour ensuite le traduire dans son propre langage mental. Lorsque l'élève confronte ce qui est perçu avec les évocations, l'intuition de sens naît.

Comme vous l'avez vu dans le guide général à la page 8, la personne qui évoque visuellement comprend dans le cadre de l'espace ; sa compréhension surgit à partir d'une évocation visuelle de globalité qu'elle va progressivement enrichir, détailler. La personne qui évoque auditivement comprend dans le cadre du temps ; elle prend appui sur des repères chronologiques (d'abord, après, enfin).

Certains élèves se redonnent l'information perçue dans son exactitude, par reproduction fidèle ; ils sont alors en « troisième personne ». Par contre, d'autres ont besoin de s'impliquer dans leurs évocations ; ils sont alors en « première personne ».

Au sein même du geste de compréhension, des structures de projets différentes se mettent en évidence selon les sujets ou les situations : le projet de comprendre pour *appliquer* et celui de comprendre pour *expliquer*. L'élève qui se questionne sur comment il pourra *se servir* de ce qui lui est présenté s'inscrit dans une démarche de *compréhension-application*. Celui qui se questionne sur comment il va *explique*r s'inscrit dans un projet de *compréhension-explication*. En fait, le geste mental de compréhension est complet lorsque l'élève se donne le projet de comprendre pour *expliquer* et pour *appliquer*.

À cette activité mentale se greffe le geste mental de réflexion. Celui-ci diffère un peu de la compréhension puisque les jugements de comparaison (par similitudes ou par différences) ne s'établissent plus seulement entre le perçu et l'évocation de ce dernier, mais ils intègrent des évoqués antérieurs. À partir d'un sujet donné ou d'une question posée, l'élève doit revenir sur ses acquis (connaissances, règles, expériences) avec le projet de les utiliser pour saisir le sens d'un texte, pour répondre à une question ou pour exécuter une tâche.

« Les acquis sont destinés à alimenter directement le foyer de la réflexion pour nourrir la compréhension.[1] »

1. Antoine de La Garanderie, *Pour une pédagogie de l'intelligence*, p.141.

Activité 2 : La précision et la construction de liens entre les évoqués

Afin de poursuivre cette mise en train de l'évocation, voici une activité permettant à l'élève de faire des liens entre les évocations qu'il a construites pendant l'écoute d'un texte.

Pour cette deuxième activité, vous pouvez utiliser le texte « Camp de vacances » (voir page suivante) ou choisir une courte lecture (récit) qui favorise des représentations mentales (visuelles ou auditives). Les élèves doivent apprivoiser lentement la venue des représentations mentales pour éviter les émotions paralysantes qui pourraient inhiber leur activité mentale.

- Demandez aux élèves de prendre la position d'écoute (voir L'ancrage de la position d'écoute, pages 61 et 62). Cette proposition est très importante, car elle prépare l'élève au geste mental d'attention qui est la clé de démarrage du fonctionnement mental.

- Avant de commencer la lecture d'une phrase ou d'un court paragraphe, dites à vos élèves que vous allez leur lire une histoire et que vous aimeriez qu'ils aient le projet de l'imaginer dans leur tête. Rassurez-les en disant qu'ils n'ont pas besoin de tout imaginer à la première lecture, puisqu'il y en aura deux : la première, pour leur donner une idée générale du texte ; et la seconde, pour compléter et préciser leurs évocations.

- Assurez-vous de donner aux élèves suffisamment de temps pour évoquer. La levée de main, par exemple, est un moyen rapide de le faire.

- Lisez lentement, avec des temps d'arrêt. *Après la première lecture*, demandez aux élèves de décrire ce qui s'est passé dans leur tête quand ils ont entendu l'histoire. *À la deuxième lecture*, procédez de la même façon, mais en insistant pour qu'ils décrivent de quelle façon (comment) et pour quelle raison (pourquoi) les images se sont précisées dans leur tête.

Par ces explications, les élèves prennent conscience des liens qui se construisent entre les évocations.

Cette activité est particulièrement intéressante pour faire comprendre aux élèves que la relecture d'un texte, ou de certaines parties de celui-ci, s'avère souvent nécessaire pour que sa représentation soit précise.

Je vais vous raconter l'histoire d'un petit garçon qui s'appelle Édouardo et qui va pour la première fois dans un camp de vacances sans ses parents.

Camp de vacances

Édouardo parle à ses parents :

– Enfin les vacances ! Au revoir papa, maman. Je vous écrirai.

Édouardo est content, voilà déjà un an qu'il pense à tous les amis qu'il va connaître et à toutes les activités qu'il va faire à ce camp de vacances.

Lors de son premier jour au camp, Édouardo rencontre ses nouveaux amis, mais il n'ose pas aller leur parler. Il les regarde s'amuser et il s'ennuie déjà. Édouardo se dit : « Je vais écrire à mes parents. » Voici sa lettre :

Papa et maman,

Venez me chercher. Je veux retourner à la maison. Je n'ai pas de camarades ici. Je suis triste. Venez me retrouver jeudi.

Édouardo xx

Après avoir posté sa lettre, Édouardo se dirige lentement vers la cafétéria pour prendre son petit déjeuner. Il prend place près de Marie et Olivier qui lui demandent s'il veut jouer au ballon avec eux. Voilà une journée où il s'est bien amusé. Les jours suivants ont passé très vite. Il est surpris de voir arriver ses parents le jeudi.

Édouardo leur dit :

– Que venez-vous faire ici ? Mes vacances ne sont pas finies !
– Mais, tu nous as demandé de venir te chercher.
– Oh non ! je ne veux pas partir. J'ai beaucoup de plaisir avec mes amis. Puis-je rester plus longtemps ?

Activité 3 : La promotion de l'évocation par le retrait du texte

Cette activité stimule la mise en place des évocations. Elle incite l'élève à des représentations mentales.

La première fois que vous faites cette activité, choisissez préférablement un court texte afin de faciliter la tâche. Les élèves pourront ainsi comprendre plus aisément la notion de rappel d'informations sans avoir recours au texte. Il est important de rassurer vos élèves en présentant cette activité comme un défi, car le retrait du texte peut provoquer de l'inquiétude chez certains d'entre eux.

- Demandez aux élèves d'écouter la lecture d'un récit avec le projet de se représenter le texte dans leur tête (en faisant des images visuelles, verbales ou auditives) afin d'en saisir le sens.

- Demandez-leur de conserver ce texte dans leur tête soit en le répétant, soit en revoyant les informations évoquées, car ils auront à répondre à des questions sans avoir recours au texte (geste de mémorisation avec projet de conserver pour une réutilisation future qui est de répondre aux questions reliées au texte).

- Lisez le texte une première fois pour que les élèves s'en fassent une représentation globale. Puis relisez-le en arrêtant entre les phrases ou groupes de phrases contenant des informations qui permettent des représentations mentales. Laissez des temps pour évoquer chaque partie lue (la levée de main vous informe que leurs évocations sont construites).

- Si vous le jugez utile, vous pouvez servir de modèle. Après chaque partie lue, verbalisez à haute voix la procédure mentale que vous utilisez pour construire vos évocations et vous assurer qu'elles sont précises et bien ordonnées (approche du « thinking aloud »).

- Lorsque la lecture du récit est terminée, retirez le texte et remettez aux élèves le questionnaire. Invitez-les à évoquer les questions dans un premier temps, puis à faire revenir dans leur tête les informations qui s'y rapportent. Laissez du temps pour l'exécution de la tâche.

- Pour terminer l'activité, vous pouvez conduire un dialogue pédagogique, c'est-à-dire demander aux élèves de décrire leurs évocations, d'expliquer comment ils ont donné sens au texte et aux questions, comment ils ont fait pour retrouver les informations stockées dans leur mémoire.

Beaucoup d'élèves pensent avoir bien évoqué leur texte et surestiment leur capacité à répondre à des questions. C'est seulement lors de la réalisation de la tâche qu'ils constatent le manque de précision de leurs évocations, ou leur incapacité à les rappeler. Si vous retirez le texte lorsqu'ils répondent aux questions, cela provoque un déséquilibre. Certains élèves, n'ayant pas l'habitude d'évoquer leurs textes lorsqu'ils ont à répondre par la suite à des questions, se retrouvent très démunis. Ils doivent changer leurs habitudes et ne l'acceptent que si vous présentez l'activité comme un défi.

Activité 4 : La direction des évocations dans les quatre paramètres

Certains élèves vont privilégier les évocations d'un paramètre en particulier, et ce, au détriment des autres. Cette activité permet de développer la mobilité des évocations.

- Choisissez une histoire très courte (de deux à cinq phrases). Demandez aux élèves d'écouter l'histoire avec le projet de l'imaginer dans leur tête.
- Demandez aux élèves de prendre la position d'écoute. Annoncez que vous allez faire une activité qui vous permettra de mieux les connaître. Faites trois lectures de l'histoire en orientant les élèves vers un projet d'évocation différent à chacune des lectures.

Première lecture : Suggérez aux élèves le projet de voir, d'entendre ou de se raconter l'histoire dans leur tête (évocation de la situation énoncée telle quelle, paramètre 1). Laissez des temps d'évocation pendant la lecture. Ensuite, demandez aux élèves de vous raconter ce qui s'est passé dans leur tête.

Deuxième lecture : Suggérez aux élèves le projet de voir, d'entendre ou de se raconter l'histoire dans leur tête tout en imaginant une situation semblable qu'ils connaissent ; ils peuvent également s'imaginer acteurs dans l'histoire (paramètres 3 et 4). Après la lecture, demandez aux élèves de vous raconter ce qui s'est passé dans leur tête.

Troisième lecture : Suggérez aux élèves le projet de voir, d'entendre ou de se raconter l'histoire dans leur tête avec l'intention de la représenter par un dessin, un schéma, des mots, etc. (paramètres 2, 3 ou 4). Assurez-vous, par la levée de main, que les élèves ont eu suffisamment de temps pour évoquer, puis permettez-leur d'exprimer cette représentation.

L'illustration suivante suggère une évocation de la situation (première lecture).

Activité 5 : La lecture expressive pour dégager le sens d'un texte

Modélisation par l'accompagnateur

Certains élèves ont tendance à décoder un texte plutôt que de rechercher le sens du message écrit. Quelques-uns d'entre eux lisent à haute voix sans tenir compte de la ponctuation, ce qui rend leur lecture incompréhensible pour eux et pour les autres. Cette activité, qui met l'accent sur la perception auditive, sensibilise les élèves à l'importance de bien ponctuer une lecture. La lecture expressive favorise la construction des représentations mentales et facilite la compréhension.

- La modélisation présente aux élèves les règles qui donnent accès à la lecture expressive et à une meilleure compréhension.
- L'expérimentation les invite à jouer avec les timbres de voix, les rythmes, les pauses, les arrêts...

- Lisez un texte devant les élèves sans en faire la ponctuation, avec une intonation monocorde, un rythme lent puis trop rapide, etc. (vous pouvez utiliser le texte au bas de cette page). Après votre lecture, demandez aux élèves de commenter votre « mauvaise performance ». Ceux-ci sont en général de bons critiques.
- Écrivez au tableau les suggestions qu'ils vous donnent pour améliorer votre lecture.
- Relisez le texte en suivant bien leurs recommandations et demandez-leur s'ils préfèrent cette lecture. Certains d'entre eux vont probablement signifier que leur compréhension est meilleure. Avant de terminer, suscitez l'intérêt des élèves pour la suite de cette activité (voir page suivante).

Fais des arrêts aux points.
Va plus vite.
Va plus lentement.
Ne parle pas comme un robot.
Mets de l'expression.
Fais des gestes.
Parle plus fort.

Marcus était devant la porte d'entrée, sa laisse entre les dents. Sans se préoccuper de lui, tous s'empressaient.
« Ils ne vont tout de même pas partir sans moi ? Je suis beaucoup trop petit pour rester seul à la maison. »
« Désolés Marcus, nous allons à l'hôpital porter des fruits à Mamie et ses amies. Les petits chiens n'ont pas le droit d'entrer. »

Expérimentation par les élèves

Nous vous suggérons de faire cette activité peu de temps après la modélisation.

Réactivez l'activité précédente en resituant les élèves dans le temps et l'espace où a été vécu l'apprentissage. Demandez-leur de vous redire les « règles pour une lecture expressive et compréhensible ». Gardez ces règles à la vue des élèves ; vous pourrez y recourir quand l'occasion se présentera.

- Proposez aux élèves de faire une lecture expressive. Pour cela, préparez au préalable des textes contenant des dialogues. Regroupez les élèves en équipe et donnez à chacun un rôle. Pour faciliter la gestion de cette activité, notez le nom des élèves et des personnages qu'ils « interprètent ».

- Laissez aux élèves des temps libres pendant lesquels ils pourront répéter. Suggérez-leur de faire de la lecture à la maison avec les membres de leur famille. L'enregistrement (audiocassette) s'avère un moyen intéressant de s'autocorriger lorsque l'élève se réécoute tout en suivant des yeux la ponctuation du texte.

- Prévoyez des temps de classe pour que chaque équipe « prête » puisse faire « une lecture expressive » devant leur groupe ou dans d'autres groupes.

Activité 6 : La ponctuation d'un texte pour construire des représentations cohérentes

Cette activité, qui met l'accent sur la perception visuelle, sensibilise les élèves à l'importance de respecter la ponctuation lorsqu'ils écrivent ou font la lecture d'un texte.

- Présentez aux élèves un texte incitatif sans ponctuation et demandez-leur d'exécuter la tâche demandée (vous pouvez utiliser le texte au bas de cette page). Lorsqu'ils ont terminé, ramassez les productions.
- Laissez passer une période ou une journée, puis présentez-leur le texte bien ponctué. Réactivez les règles apprises dans les activités précédentes (*après avoir lu jusqu'au point, je fais un arrêt et j'imagine dans ma tête*...). Après avoir lu et évoqué chacune des phrases, ils pourront les surligner au fur et à mesure qu'elles auront bien été évoquées. Ensuite, demandez-leur de réaliser la tâche en considérant bien la ponctuation.
- Quand les élèves ont complété les deux dessins, demandez-leur des impressions sur leurs deux performances. Laquelle est juste et *pourquoi* ? Insistez sur *comment* ils ont fait pendant la deuxième lecture et proposez-leur de réutiliser cette procédure mentale pour une prochaine situation de lecture.

Texte : de 6 à 9 ans (voir copies de l'élève, pages 47 et 48)

Céline veut envoyer un dessin de sa maison à son correspondant Yassine. Aide-la à terminer son dessin selon les indications qu'elle a laissées.

La maison de Céline

Dessine une cheminée peinture le toit en rouge et la porte en bleu tu ajoutes des rideaux jaunes dans une fenêtre tu fais pousser des jolies fleurs devant la maison tu plantes un arbre tu ajoutes un nuage gris qui passe au-dessus de l'arbre il y a deux oiseaux qui volent dans la cheminée il y a de la fumée merci pour ton aide

En regardant vos dessins, j'ai constaté que Céline avait fait une erreur en écrivant son texte : elle avait oublié de mettre la ponctuation. Elle a corrigé son texte et je vous le remets. Je vous demande donc de refaire votre dessin.

La maison de Céline

Dessine une cheminée. Peinture le toit en rouge et la porte en bleu. Tu ajoutes des rideaux jaunes dans une fenêtre. Tu fais pousser des jolies fleurs devant la maison. Tu plantes un arbre. Tu ajoutes un nuage gris qui passe au-dessus de l'arbre. Il y a deux oiseaux qui volent. Dans la cheminée, il y a de la fumée. Merci pour ton aide.

Texte 2 : de 8 à 12 ans (voir copies de l'élève, pages 49 et 50)

Mon ami a dessiné un animal assez étrange sur l'ordinateur de l'école. Certains en ont ri et d'autres ont frissonné de peur.

J'aimerais connaître ta réaction. Lis le texte suivant et imagine cet animal dans ta tête. Puis, dessine-le au bas de la page. Tu pourras ainsi savoir ce que t'inspire ce portrait et t'amuser à découvrir les réactions de tes amis.

Un animal bizarre

Sur la photo l'animal sort de l'eau il est bien laid avec son gros corps violet il a deux grosses têtes collées avec un seul œil et une corne jaune sur le ventre on voit deux gros boutons rouges sur deux de ses trois pattes il a des longs poils sur une patte il a quatre griffes pointues autour d'une tête il y a un collier de boutons verts sur le côté droit de son corps on aperçoit un tentacule qui aspire une grenouille quelle horreur

Désolé, j'ai oublié d'écrire la ponctuation. Reprends ce dessin afin qu'on puisse voir comment tu te représentes cet animal.

Un animal bizarre

Sur la photo, l'animal sort de l'eau. Il est bien laid avec son gros corps violet. Il a deux grosses têtes collées avec un seul œil et une corne jaune. Sur le ventre, on voit deux gros boutons rouges. Sur deux de ses trois pattes, il a des longs poils. Sur une patte, il a quatre griffes pointues. Autour d'une tête, il y a un collier de boutons verts. Sur le côté droit de son corps, on aperçoit un tentacule qui aspire une grenouille. Quelle horreur.

- Demandez aux élèves de donner leurs impressions sur leurs deux performances. Laquelle est juste et *pourquoi* ? Insistez sur *comment* ils ont fait et proposez-leur de réutiliser cette procédure mentale pour une prochaine situation de lecture.

Activité 7 : L'organisation spatiale et temporelle d'un texte

Modélisation par l'accompagnateur

Certains élèves évoquent bien les différents éléments du texte, mais ils oublient ou ne savent pas comment organiser ces évocations afin d'en faciliter la compréhension et la mémorisation. Cette activité permet :

- d'organiser les évocations dans un cadre spatial et temporel ;
- de concrétiser les liens et les relations entre les éléments importants du texte.

- Avant de commencer la lecture d'une histoire ou d'un texte, dites aux élèves que vous aimeriez qu'ils aient le projet d'imaginer l'histoire dans leur tête.
- Demandez aux élèves de prendre une position d'écoute.
- Lisez lentement en faisant des arrêts après chaque phrase ou paragraphe selon le contenu et le niveau scolaire pour laisser des temps d'évocation.
- Demandez aux élèves de raconter ce qu'ils ont évoqué et schématisez (dessins, mots-clés, flèches, etc.) ou résumez leurs propos dans un graphique spatiotemporel. Poursuivez ainsi jusqu'à la fin du texte.

En reformulant de manière schématisée le contenu évoqué de l'élève, vous lui permettrez de confronter cette reformulation avec son évocation et il sera ainsi amené à la clarifier, à la rectifier ou à la confirmer.

Lorsque vous ferez l'expérimentation de la page suivante, affichez les exemples de graphiques (voir pages 56 à 59). Laissez aux élèves le choix d'en utiliser un ou de s'en inspirer pour en inventer un autre qui leur convient mieux. Ils peuvent aussi utiliser plusieurs graphiques pour un même texte.

Certains graphiques se prêtent davantage à des textes informatifs ou descriptifs. En les utilisant, les élèves peuvent mettre en évidence les catégories, sous-catégories ainsi que les liens entre les différents éléments. D'autres graphiques, plus linéaires, sont plus appropriés pour des récits.

Expérimentation par les élèves

Nous vous suggérons de faire une première expérimentation peu de temps après la modélisation, en utilisant le même texte.

- Présentez le texte aux élèves en leur demandant de faire la lecture avec le projet d'en imaginer le contenu dans leur tête.

- Présentez une fiche de graphique spatiotemporel. Vous trouverez plusieurs modèles de ces fiches en annexe. Elles facilitent les évocations et leur regroupement. Le fait d'écrire concrétise les évocations. Cela aide l'élève qui globalise à mieux gérer les séquences temporelles, et aide celui qui procède séquentiellement à mieux gérer la globalité de l'espace.

- Rappelez à vos élèves les différentes manières de représenter leurs évocations sur le graphique spatiotemporel : mots-clés, courtes phrases, dessins, schémas, graphiques...

- Comparez les productions des élèves afin qu'ils puissent voir les différentes représentations possibles et, s'ils le désirent, qu'ils modifient et enrichissent leur graphique.

Vous pouvez faire cette activité en dyade ou en petits groupes. Cela suscite la participation des élèves qui ont tendance à s'effacer dans un groupe-classe.

La plupart des élèves ont de la difficulté à schématiser ou à résumer un texte, d'où l'importance de mettre l'accent sur les deux dernières propositions.

Voici, pour mieux saisir, un exemple qui illustre l'organisation spatiale et temporelle d'un texte d'un élève de neuf ans.

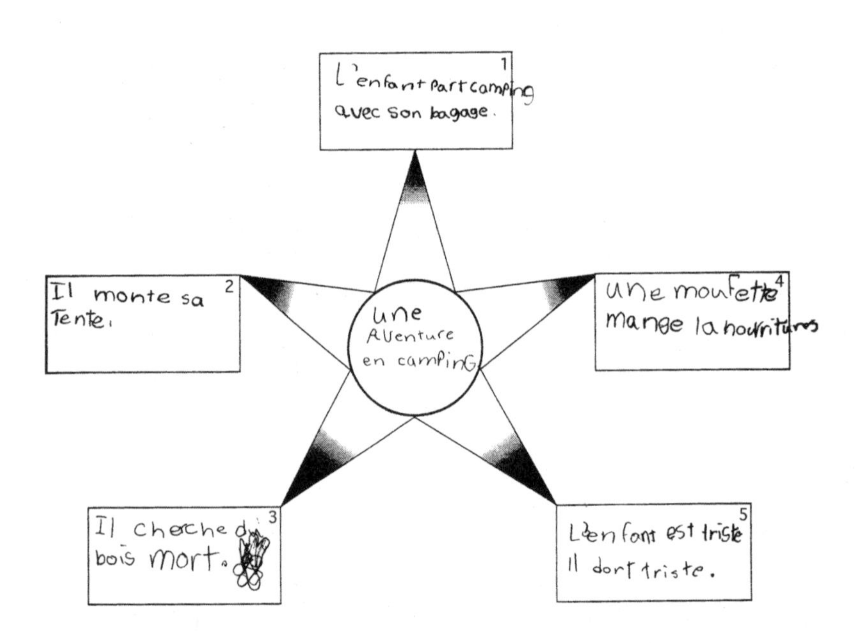

Activité 8 : L'établissement du lien entre les questions et le texte

Certains élèves ont de la difficulté à mettre en lien les questions et le texte. Lorsque vous corrigez leurs copies, vous vous faites souvent la réflexion suivante : « Ces réponses n'ont pas de rapport avec les questions. Où ont-ils été chercher cela ? » Cette activité permet à ces élèves :

- de se centrer sur l'évocation des questions et des réponses en lien avec celles-ci ;
- de confronter « ce qu'ils savaient déjà » avec les informations nouvelles apportées par la lecture du texte.

- Choisissez un texte avec questionnaire que vous avez l'habitude d'utiliser. La première fois que vous faites cette activité, prenez un texte court avec au plus dix questions. Si vous désirez faire une préexpérimentation, utilisez le texte au verso de cette page.
- Dites à vos élèves que vous allez lire avec eux les questions avant le texte et que vous aimeriez qu'ils y répondent même si cela leur semble impossible. À la fin de l'activité, vous aurez du plaisir ensemble à comparer les différentes réponses et à constater qui avait l'estimation la plus juste.

La lecture des questions

- Demandez aux élèves de prendre la position d'écoute. Lisez avec eux les questions en laissant un temps d'évocation après chacune d'elles.
- Les élèves notent (avec un crayon à la mine très pâle) leurs réponses dans la marge (à côté de l'espace réservé à la réponse).

La lecture du texte

- Avant de commencer la lecture du texte, demandez aux élèves d'avoir le projet d'imaginer l'histoire tout en gardant en tête les réponses et les questions qu'ils ont évoquées.
- Suggérez-leur de souligner ou de surligner dans le texte les mots ou les phrases qui répondent à ces questions.
- Lorsqu'ils ont terminé de répondre aux questions, faites un retour avec tout le groupe. Demandez aux élèves de dire leurs réponses. Profitez-en, lorsque celles-ci le permettent, pour les sensibiliser au fait qu'ils doivent confronter leurs connaissances antérieures avec les données du texte et faire un choix pertinent selon que les questions posées demandent de se référer au texte ou à leurs connaissances.
- Vous pouvez ajouter un aspect ludique à cette activité en calculant les réponses bien « devinées ».

Avant de faire l'activité proposée à la page précédente, vous pouvez expérimenter ce court texte (texte de l'élève à la page 51) en suivant les indications déjà mentionnées.

- Dites à vos élèves que vous allez lire avec eux les questions avant le texte et que vous aimeriez qu'ils y répondent même si cela leur semble impossible. À la fin de l'activité, vous aurez du plaisir ensemble à comparer les différentes réponses et à constater qui avait l'estimation la plus juste.

La lecture des questions

(voir les consignes de la page précédente)

Que font les élèves ? (relation implicite et textuelle)

À quel endroit sont-ils ? (relation implicite fondée sur les schémas du lecteur)

Qu'est-il arrivé au milieu du cours de français pour que les élèves s'empressent de sortir de la classe ? (relation explicite et textuelle)

Où se sont dirigés les élèves ? (relation implicite et textuelle)

La lecture du texte

(voir les consignes de la page précédente)

Lorsque le retentissement de la cloche se fit entendre au milieu du cours de français, tous les élèves se sont empressés de sortir dans l'ordre vers l'extérieur du bâtiment.

Variante :

Demandez aux élèves de lire un texte avec le projet de l'imaginer dans leur tête. Retirez ensuite le texte et demandez-leur d'inventer des questions qui pourraient être posées sur ce texte (laissez du temps pour l'exécution de la tâche). Redonnez le texte aux élèves afin qu'ils lisent leurs questions et y répondent oralement à tour de rôle. Reformulez les questions imprécises ou confuses. L'activité cesse quand toutes les questions sont posées.

Avec cette activité, l'élève prendra conscience que, pour questionner et répondre à des questions, il doit avoir imaginé (évoqué) son texte.

Activité 9 : Je trouve la réponse dans ma tête et dans le texte

Certains élèves éprouvent de la difficulté à se détacher de la représentation littérale d'un texte ; d'autres, par contre, ne se réfèrent qu'à leurs propres connaissances sur le sujet. Cette activité permet aux élèves de prendre conscience que :

- pour répondre à des questions *explicites et textuelles* ou *implicites et textuelles*, ils doivent rechercher l'information dans leur tête ainsi que dans le texte ;
- pour répondre à des questions *implicites et fondées sur les schémas du lecteur*, ils doivent s'engager dans une démarche d'appréciation en se basant sur leurs connaissances personnelles.

- Projetez ou écrivez ce texte au tableau (texte de l'élève à la page 52) ou tout autre texte dont le sujet est familier aux enfants. Si vous utilisez l'un des vôtres, vous pouvez au préalable classifier vos questions (voir page 63).

> **Un drôle d'épouvantail**
>
> Sarah fait un épouvantail pour protéger son jardin. Elle utilise de la paille pour former le corps. Elle l'habille d'un pantalon orangé et d'une chemise bleue. Elle place un collier de grelots et sur sa tête un béret de laine rouge que sa mère a tricoté. Puis, elle installe un râteau dans la main droite de son bonhomme. « Sarah, tu as fait un très beau travail ! »

- Demandez aux élèves de mettre ce texte dans leur tête et de lever la main quand ils l'auront fait (informez-les que vous allez fermer le projecteur ou cacher le texte au tableau).

- Laissez un temps d'évocation et attendez que toutes les mains se lèvent, puis retirez le texte afin d'enlever la perception et de travailler sur les évocations.

- Collez au mur les icônes suivantes (voir pages 54 et 55) :

Dans ma tête et dans le texte

Dans ma tête

- Tout en pointant les icônes, informez les élèves que pour répondre aux questions, ils devront retourner dans leur tête et dans le texte ou dans leur tête.

- Posez les questions suivantes :

<u>« Dans ma tête et dans le texte »</u>

Dans ma tête et dans le texte

- Que fait Sarah ? (*explicite et textuelle*)

- Écoutez les réponses des élèves, puis découvrez ou projetez le texte.
- Invitez un élève à venir indiquer du doigt la réponse dans le texte. L'élève devrait pointer « Sarah fait un épouvantail ». Ensuite, constatez avec lui que la réponse était bien dans sa tête (puisqu'il ne voyait pas le texte) et qu'elle était aussi dans le texte (puisqu'il a pointé la phrase). Montrez l'icône indiquant que la réponse est dans sa tête et dans le texte.
- Fermez le projecteur ou cachez le texte et poursuivez :

  - Que place-t-elle sur la tête de l'épouvantail ? (*implicite et textuelle*)

- Écoutez les réponses. Si certains élèves ne connaissent pas la signification du mot béret, vous devriez avoir des réponses comme « un chapeau, un bonnet, une tuque... ». Si c'est le cas, profitez de ces mauvaises réponses pour expliquer aux élèves que lorsqu'ils rencontrent un mot nouveau dans un texte, ils doivent vous questionner ou faire appel à une ressource matérielle pour en connaître la signification. Sinon, ils ne peuvent imaginer qu'une partie du texte. Ils comprennent alors peu ou pas leur texte et oublient ce qu'ils ont lu. Ils ne peuvent donc répondre correctement aux questions.
- Découvrez ou projetez à nouveau le texte. Invitez un élève à venir pointer du doigt l'information dans le texte. Constatez avec lui...

Autres questions : Où place-t-elle le râteau ? Qui a tricoté le béret de laine ?

<u>« Dans ma tête seulement »</u>

Dans ma tête

- En quelle saison se déroule cette histoire ? (*implicite et fondée sur le schéma du lecteur*)

- Écoutez les réponses, puis découvrez ou projetez à nouveau le texte.
- Invitez un élève à venir indiquer du doigt la réponse dans le texte. L'élève ne la trouvera pas. Ensuite, constatez avec lui que la réponse se trouve dans sa tête seulement, que les mots ne sont pas écrits dans le texte. Sa réponse résulte de sa compréhension. Il a compris parce qu'il a imaginé (évoqué) le texte dans sa tête. Pointez l'icône indiquant que la réponse est dans sa tête seulement.

Autres questions : D'après toi, qui félicite Sarah ? Où Sarah place-t-elle les grelots ?

Activité 10 : La compréhension avec le projet d'expliquer ou d'appliquer

Le geste mental de compréhension est complet lorsqu'on peut « appliquer » et « expliquer » ce qui est à comprendre. Cette activité sensibilise les élèves à l'importance de bien construire leurs évocations lorsqu'ils lisent une consigne ou un texte avec le projet de comprendre pour expliquer (groupe A) ou de comprendre pour appliquer (groupe B). Il est important d'éveiller « l'appliquant », comme « l'expliquant », à un projet de compréhension différent de son projet habituel.

Choisissez une courte lecture avec des consignes à exécuter et séparez les élèves en deux groupes (A et B). Vous pouvez utiliser les textes à la page 53.

- Demandez aux élèves du groupe B de se retirer à l'extérieur de la classe.
- Demandez aux élèves du groupe A de lire, avec le projet d'imaginer (en images ou en mots) les consignes ou le texte dans leur tête. Précisez qu'ils doivent conserver les consignes ou le texte en tête, car ils auront à « l'expliquer » (re-dire) à leur camarade du groupe B qui, lui, aura comme projet d'écouter pour ensuite « appliquer » (exécuter).
- Accordez-leur un temps pour évoquer ce qu'ils auront à expliquer. Au besoin, suggérez aux élèves de faire une relecture afin qu'ils modifient, complètent, précisent ou confirment leurs évocations (retirez le texte ou les consignes). Ensuite, demandez-leur de dessiner ou d'écrire leurs représentations.
- Invitez les élèves du groupe B à revenir en classe écouter leurs camarades expliquer (sans leur texte ni leur représentation) ce qu'ils ont évoqué. Demandez aux élèves d'écouter l'explication de la tâche avec le projet d'imaginer ce qu'ils devront faire pour ensuite l'exécuter.
- Laissez un temps pour que les élèves du groupe B exécutent la tâche. Ensuite, remettez le texte écrit à tous les élèves afin que chaque dyade puisse vérifier sa compréhension (la tâche exécutée par les élèves des deux groupes ne sera peut-être pas conforme à celle décrite dans le texte). Profitez de cette situation pour les sensibiliser à la difficulté de « traduire en mots » ce qu'ils ont évoqué et à l'importance de bien construire leurs évocations afin qu'ils se fassent comprendre. Insistez sur le fait que pour bien « expliquer » ou « appliquer », les évocations doivent êtres précises et bien ordonnées.
- Échangez les rôles afin de permettre aux élèves de vivre les deux projets : comprendre pour appliquer et pour expliquer (utilisez alors des textes différents).

Des suggestions de projets d'activités à exploiter

Les séquences

Lire ou écouter une histoire avec le projet de l'imaginer dans sa tête pour en faire une bande dessinée.

La transformation des évocations

Inviter les élèves à jouer avec les évocations (imaginer un objet pour le grossir, le colorer, le déplacer, le réduire...) pour qu'ils réalisent leur possibilité de transformer les évocations comme ils le désirent.

La recherche de liens

Faire la lecture d'un texte et demander aux élèves d'écouter avec le projet de trouver des similitudes ou des différences en se référant aux connaissances qu'ils ont du sujet. Après chaque paragraphe, les élèves verbalisent ce qui a aidé leur compréhension.

Le sens des mots

Jouer au « détective » pour éveiller chez les élèves le projet de découvrir le sens des mots nouveaux dans un texte. Regroupés en petites équipes, les élèves s'amusent à trouver des mots nouveaux qu'ils auront à utiliser dans de courtes phrases.

L'anticipation

Imaginer le contenu d'un livre uniquement par le titre, les informations para-linguistiques, les sous-titres, la table des matières, le résumé, la conclusion, etc. Les élèves qui ont besoin de la globalité s'épargneront ainsi la relecture d'un texte ou d'un livre pour en saisir le sens.

La lecture silencieuse continue

Profiter du temps de la lecture silencieuse continue pour mettre les élèves en projet de raconter leur lecture. Ils devront mettre dans leur tête le texte pour pouvoir le raconter. Cette proposition faite aux enfants doit être présentée sous forme de suggestion et non d'obligation.

Une lecture par jour

Présenter un épisode par jour d'une histoire ou d'un mini-roman. S'arrêter à un moment palpitant ou intrigant afin de provoquer l'intérêt des élèves. Les inviter à être en projet de retenir l'histoire et d'anticiper des suites possibles.

Les pistes de réflexion

Si vous comprenez mal la gestion mentale de certains de vos élèves, voici quelques voies d'exploration qui pourront enrichir vos réflexions et peut-être vous mettre sur la piste d'une solution.

Être situé dans le bon projet

Certains élèves n'ont pas ou peu développé d'habitudes évocatives ; ils perçoivent et agissent. Ils évoquent partiellement ou pas du tout (ils restent en perception). En situation de lecture « scolaire », ces élèves n'ont pas le projet de donner sens au texte, mais de répondre à des questions. Ils vont donc lire celles-ci et repérer dans le texte des éléments suceptibles de les orienter vers des réponses. Il s'agit, à ce moment, de recentrer ces élèves dans le bon projet qui est celui d'évoquer leur texte pour en construire le sens et ensuite répondre aux questions.

Les activités 3, 5 et 9 sont particulièrement indiquées pour aider ces élèves.

L'évocation, ça peut s'apprendre !

Certains élèves prétendent parfois être incapables d'évoquer. Vous pouvez alors leur demander de se représenter mentalement quelque chose de connu, une personne, un objet ou une situation familière, afin d'apprivoiser l'évocation et ainsi leur permettre de prendre conscience de la simplicité et de la grande importance de ce geste.

Les activités 1, 2 et 4 sont particulièrement indiquées pour aider ces élèves.

Les évocations incomplètes ou fugitives

Certains élèves peuvent avoir bien évoqué le texte, mais surestimer leur capacité à répondre aux questions. Au moment d'exécuter la tâche, ils prennent alors conscience que leurs évocations sont incomplètes et fugitives. Ils sont propulsés par l'intuition de globalité de sens du texte (l'excitation de l'intuition de sens) ou trompés par des images fugitives. Cela les empêche de préciser leurs évocations. D'autres élèves sont pris par l'élaboration du détail et ne peuvent s'en détacher pour donner sens à l'ensemble du texte.

Les activités 2, 3, 4 et 5 sont particulièrement indiquées pour aider ces élèves.

L'évocation d'un texte sans en retirer de sens

Il arrive parfois que l'élève ait fait avec attention la lecture proposée et qu'il ait construit des évocations. Malgré cette démarche, l'intuition de sens n'aura pas surgi.

- Il se peut que l'élève n'évoque que des mots ou des images isolément.

Voici une phrase retirée d'un texte lu par l'élève :

> « Marie ! viens avec moi faire une course avant que la visite arrive. »
>
> Question : Que fait Marie avant l'arrivée des invités ?
>
> Réponse attendue : Elle s'en va vite faire une course au magasin.
> Réponse de l'élève : Elle va courir avec son père.

La réponse de cet élève indique qu'il ne prend pas en compte la globalité du texte. Il ne fait pas de liens de cause à effet ou de relation entre les informations fournies dans la phrase ou dans le texte. Les mots soulignés sont évoqués isolément, la deuxième partie de la phrase n'est pas mise en lien. L'élève n'infère donc pas que, parce que des invités arrivent, Marie doit aller faire des commissions avec (moi) son père pour acheter quelques aliments. Son évocation est donc erronée.

Les activités 2, 5, 6 et 7 sont particulièrement indiquées pour aider ces élèves.

Le retour inadéquat aux acquis antérieurs

- L'élève ne retourne pas toujours à ses acquis antérieurs afin de faire des comparaisons avec les données du texte, ce qui lui permettrait d'accéder au sens.

- Il peut aussi substituer sa propre expérience aux indices du texte. Il transforme ainsi le texte et lui donne un autre sens.

Voici une phrase tirée d'un texte lu par l'élève :

> Luc se berce dans une chaise berçante. Soudain, il se retrouve par terre.
>
> 
>
> Question : Pourquoi Luc se retrouve-t-il sur le sol ?
>
> Réponse attendue : Parce qu'il s'est bercé trop fort et que la berceuse a renversé.

Évocation de paramètre 1

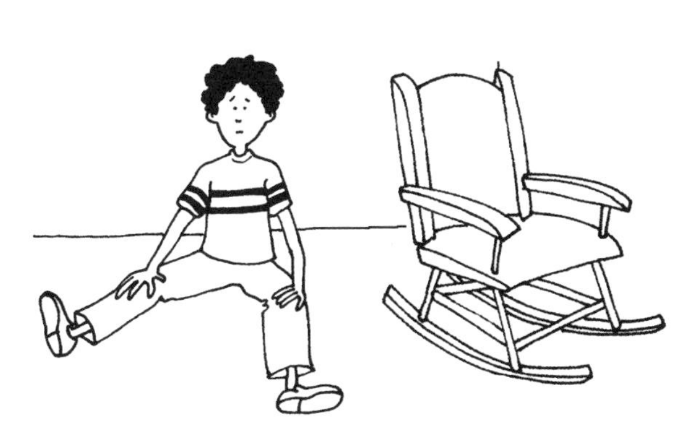

Réponse : Il est tombé.

L'élève ne retourne pas à ses acquis, c'est-à-dire ce qu'il connaît de la chaise berçante. Il n'infère donc pas que, lorsqu'on se berce trop fort, cela peut entraîner une chute.

Évocation de paramètre 4

Réponse : Il a fait une culbute.

L'élève a assisté dernièrement à une représentation d'acrobates dans un cirque. Il substitue cette expérience au texte.

Les activités 2, 4 et 9 sont particulièrement indiquées pour aider ces élèves.

L’évocation de la globalité du texte

Certains élèves ont du mal à ordonner un texte lu. Ils n’évoquent que sa globalité et ne peuvent le mettre en séquence. Ils sont pris dans cette globalité et éprouvent des difficultés à s’en dégager. Ils ne peuvent alors répondre correctement à des questions qui font référence à la chronologie des événements et aux liens de cause à effet.

L’exemple ci-dessous illustre comment l’élève peut se représenter l’histoire suivante :

> La grenouille tombe dans un verre de crème et se débat sans relâche pour s’en sortir. Elle se retrouve sur une motte de beurre, ce qui lui permet de se sauver de la noyade.
>
> Question : Pourquoi la grenouille s’est-elle retrouvée sur une motte de beurre ? (En supposant que les élèves savent que la crème battue devient du beurre.)

Réponse attendue : La grenouille a tellement battu des pattes que la crème s’est transformée en beurre.

L’élève se représente l’enchaînement des séquences.

Réponse : Parce que du beurre c’est dur.

L’élève n’évoque que la globalité. Les mouvements, les séquences ne sont pas évoqués.

Les activités 2 et 7 sont particulièrement indiquées pour aider ces élèves.

Les critères de lisibilité du texte !

Certains textes ne peuvent être évoqués par les élèves à cause de leur contenu. Il est important de vous assurer que le vocabulaire utilisé dans les consignes, les questions et les textes leur soit accessible. Vous aurez également à vérifier le respect des critères de lisibilité (voir La modification des outils d'évaluation en utilisant l'introspection, pages 64 à 66).

La formulation de questions imprécises

Certains élèves sont parfois capables de faire le rappel oral du texte, mais ils ne répondent pas correctement aux questions qui s'ensuivent. Souvent, ces élèves perdent beaucoup de temps à chercher des réponses à des questions imprécises. De plus, certains d'entre eux ne savent pas où chercher l'information, et le questionnaire ne précise pas si la réponse se trouve dans le texte ou dans le texte et dans la tête de l'élève.

Les icônes proposées ci-dessous peuvent préciser l'intention de la personne qui pose les questions et ainsi éviter à l'élève de laisser des espaces vides ou de perdre trop de temps à repérer des mots dans le texte alors que la réponse se trouve dans sa tête.

Dans ma tête

Dans ma tête
et dans le texte

L'exemple suivant illustre une question imprécise :

« Bruno, fais vite, ton oncle Paul nous attend depuis 10 minutes dans la voiture. Es-tu enfin prêt ? » Ah ! ma mère me dit toujours de me dépêcher. Aujourd'hui c'est pire, car on déménage dans l'Ouest.

Question : Où va Bruno ?

Réponse attendue :	Il déménage dans l'Ouest.
Réponses possibles :	Dans la voiture.
	Il fait un voyage avec ses parents.
	Il va rejoindre son oncle.

Le blocage de l'imagination

- Les émotions paralysantes

Certains élèves ne s'accordent pas le droit de faire des transformations pour mieux saisir le sens du texte. Ils deviennent prisonniers du contenu littéral de celui-ci et dès qu'ils doivent procéder à des inférences, ils paniquent et paralysent.

- Les émotions précipitantes

D'autres ont un sentiment d'inconfort et parfois même de panique parce qu'ils envisagent la tâche comme un défi trop grand. Ils se précipitent alors dans l'action ; ils expédient la tâche pour dépasser ce sentiment de malaise.

D'autres encore, en entendant ou en voyant un mot ou un groupe de mots qu'ils connaissent, sont stimulés, voire excités par cette évocation spontanée de sens, cette intuition de connaissance. Ces élèves se sentiront propulsés dans l'action avant même d'avoir tous les renseignements nécessaires pour mener à bien l'activité.

Pour aider ces élèves, invitez-les à s'impliquer, à s'imaginer dans le texte en tant qu'observateur ou en tant qu'acteur. Cette proposition a souvent pour effet de les sécuriser ; elle présente la situation comme plus accessible puisque vous lui donnez l'autorisation de s'impliquer, d'agir, de transformer. En procédant ainsi, vous faites la promotion du geste d'imagination.

Le rappel d'éléments à prendre en compte

Pour mieux intervenir auprès des élèves, il est important :

- d'avoir en tête les étapes d'une pédagogie de la gestion mentale (voir Guide général, page 14) ;
- de suggérer plus d'une proposition pédagogique (préférablement dans les deux modes d'évocation) afin que l'élève puisse choisir celle qui lui convient ;
- de promouvoir et valoriser l'initiative ;
- d'être attentif et ouvert aux différences individuelles, et vous rappeler que certains élèves comprennent davantage par similitude et d'autres par différence ;
- de varier les présentations d'une nouvelle notion, car, contrairement à certaines idées véhiculées, ce n'est pas parce qu'un élève évoque visuellement qu'il faut toujours lui présenter la tâche sous forme visuelle, et vice versa. Parfois, en présentant une notion dans un registre différent, l'effort de traduction fait émerger l'intuition de sens chez l'élève ;
- de prendre en compte les propos de chaque élève même s'ils semblent parfois farfelus. Par la reformulation (voir Le dialogue pédagogique, page 13), vous pouvez amener l'élève à clarifier ses évocations afin d'en dégager le sens. Toutes les représentations mentales ont leur sens et leur importance.

En cas de difficulté, vous aurez à vérifier si l'élève s'est donné les bons projets, c'est-à-dire :

- celui de se représenter les données (visuellement, auditivement ou verbalement) afin de les traiter (projet d'évocation) ;
- celui de conserver l'évocation du texte pour réaliser la tâche qui suit (projet de mémorisation) ;
- celui d'évoquer la question pour la mettre en lien avec l'évocation du texte afin de trouver une réponse appropriée (projet de compréhension) ;
- celui de faire des liens entre ce qu'il évoque à partir des données du texte et ce qu'il connaît sur le sujet (déjà en évocation) afin de lui donner sens (projet de réflexion) ;
- celui de lire pour s'investir et se construire une représentation personnelle (projet d'imagination).

Annexes

Activité 6

Nom : ______________________________

Céline n'a pas de caméra. Elle veut envoyer une image de sa maison à son correspondant Yassine.

Aide-la à terminer son dessin selon les indications qu'elle a laissées.

La maison de Céline

Dessine une cheminée peinture le toit en rouge
et la porte en bleu tu ajoutes des rideaux jaunes
dans une fenêtre tu fais pousser des jolies fleurs
devant la maison tu plantes un arbre tu ajoutes
un nuage gris qui passe au-dessus de l'arbre il y
a deux oiseaux qui volent dans la cheminée
il y a de la fumée merci pour ton aide

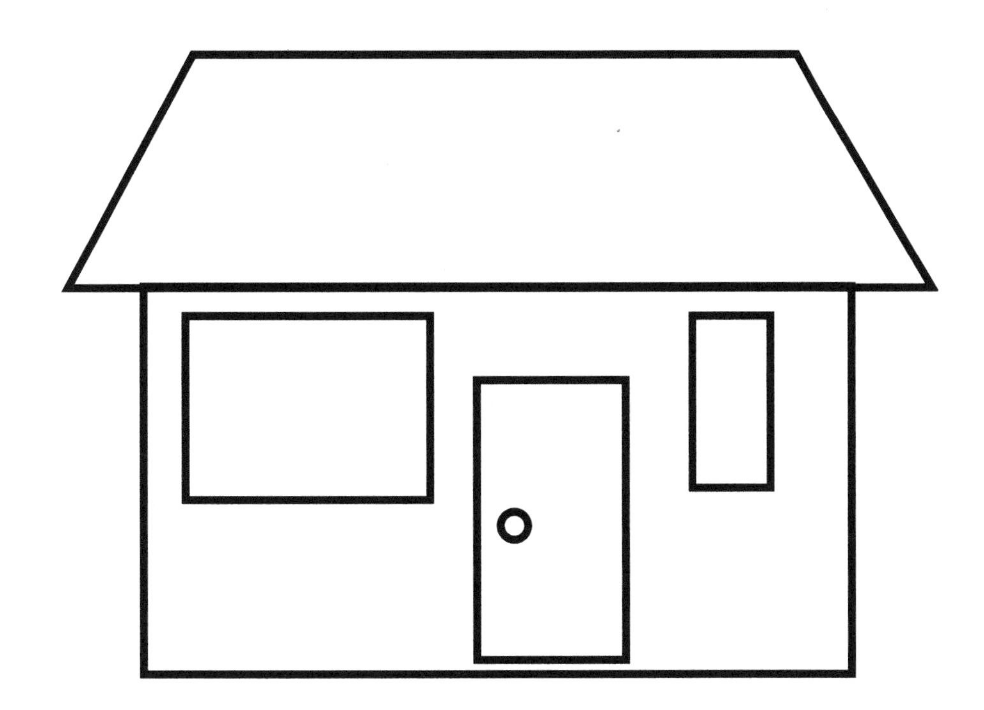

Nom : ___________________________________

Céline a corrigé son texte. Elle a mis la ponctuation : les points à la fin de chaque phrase et la virgule.

Aide-la à terminer son dessin. N'oublie pas de faire tes arrêts aux points et de bien imaginer.

La maison de Céline

Dessine une cheminée. Peinture le toit en rouge et la porte en bleu. Tu ajoutes des rideaux jaunes dans une fenêtre. Tu fais pousser des jolies fleurs devant la maison. Tu plantes un arbre. Tu ajoutes un nuage gris qui passe au-dessus de l'arbre. Il y a deux oiseaux qui volent. Dans la cheminée, il y a de la fumée. Merci pour ton aide.

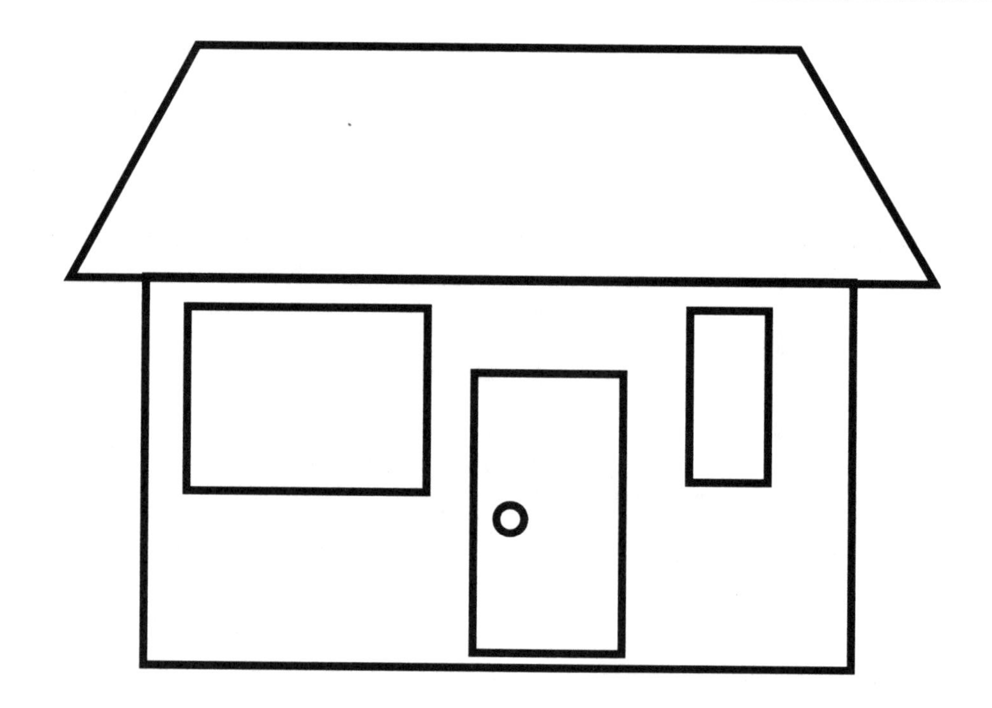

Nom : ______________________________

Lis le texte suivant et imagine cet animal dans ta tête. Puis, dessine-le au bas de cette feuille.

Un animal bizarre

Sur la photo l'animal sort de l'eau il est bien laid avec son gros corps violet il a deux grosses têtes collées avec un seul œil et une corne jaune sur le ventre on voit deux gros boutons rouges sur deux de ses trois pattes il a des longs poils sur une patte il a quatre griffes pointues autour d'une tête il y a un collier de boutons verts sur le côté droit de son corps on aperçoit un tentacule qui aspire une grenouille quelle horreur

Nom : ______________________________

Désolé, j'ai oublié d'écrire la ponctuation. Reprends ce dessin afin qu'on puisse voir comment tu te représentes cet animal.

Un animal bizarre

Sur la photo, l'animal sort de l'eau. Il est bien laid avec son gros corps violet. Il a deux grosses têtes collées avec un seul œil et une corne jaune. Sur le ventre, on voit deux gros boutons rouges. Sur deux de ses trois pattes, il a des longs poils. Sur une patte, il a quatre griffes pointues. Autour d'une tête, il y a un collier de boutons verts. Sur le côté droit de son corps, on aperçoit un tentacule qui aspire une grenouille. Quelle horreur.

Activité 8

Nom : ______________________________

Plie cette page sur la ligne pointillée
et réponds aux questions suivantes avant de lire le texte.

1. Que font les élèves ? ______________________________
2. À quel endroit sommes-nous ? ______________________________
3. Qu'est-il arrivé au milieu du cours de français pour que les élèves s'empressent de sortir de la classe ? ______________________________
4. Où se sont dirigés les élèves ? ______________________________

- -

Lis le texte ci-dessous et réponds à nouveau à ces questions.

> Lorsque le retentissement de la cloche se fit entendre au milieu du cours de français, tous les élèves se sont empressés de sortir dans l'ordre vers l'extérieur du bâtiment.

1. Que font les élèves ? ______________________________
2. À quel endroit sont-ils ? ______________________________
3. Qu'est-il arrivé au milieu du cours de français pour que les élèves s'empressent de sortir de la classe ? ______________________________
4. Où se sont dirigés les élèves ? ______________________________

Activité 9

Un drôle d'épouvantail

Sarah fait un épouvantail pour protéger son jardin. Elle utilise de la paille pour former le corps. Elle l'habille d'un pantalon orangé et d'une chemise bleue. Elle place un collier de grelots et sur sa tête un béret de laine rouge que sa mère a tricoté. Puis, elle installe un râteau dans la main droite de son bonhomme.
« Sarah, tu as fait un très beau travail ! »

Activité 10

Imagine ce dessin.

Il y a un grand triangle.

Au centre de cette forme, il y a un petit cercle.

Un cœur est collé à l'angle placé du côté droit du triangle.

Dans le cercle, il y a deux petits carrés séparés par une ligne diagonale.

Trois petits oursons

Aujourd'hui, c'est l'excitation au village des animaux. Les cousins Rapido attendent impatiemment le départ de la course qui aura lieu dans quelques minutes. Les cousins s'installent sur la ligne de départ devant les numéros un, deux et trois. « Ils se ressemblent trop », dit l'orignal, « apportez des vestes de couleurs différentes ». Voilà maintenant nos petites boules de poils habillées d'une veste de couleur différente : le premier en rouge, le second en vert, le troisième en bleu. Le départ est donné par la grande girafe et tous les animaux crient pour leur favori. L'ourson habillé de rouge arrive le premier suivi de celui qui a une veste verte. Bravo au gagnant !

Dans ma tête et dans le texte

Dans ma tête

Graphique spatiotemporel

Le mobile

Nom : ___________________________________

1

2

3

4

5

Graphique spatiotemporel

L'étoile

Nom : ___________________________

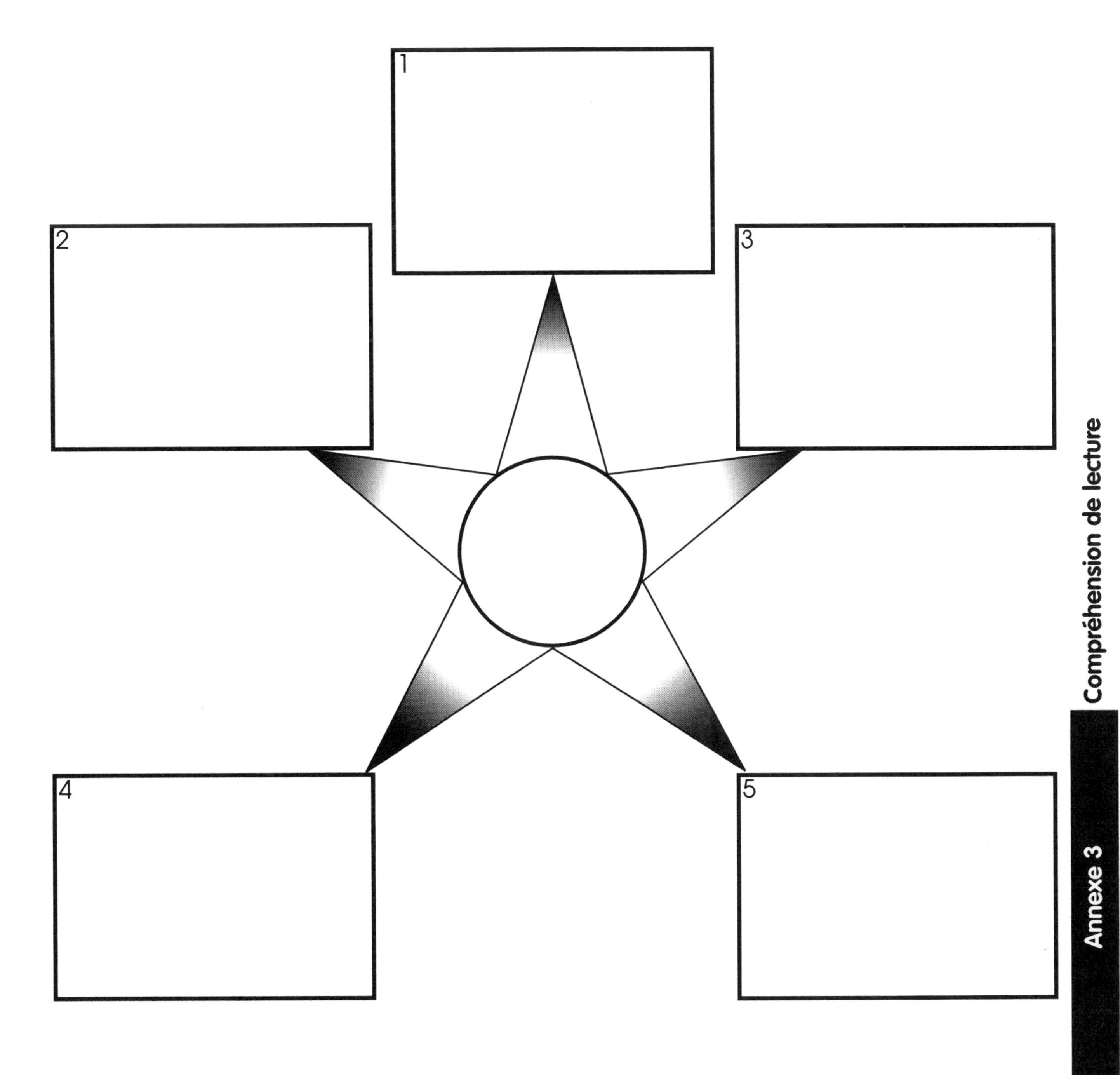

Graphique spatiotemporel

La constellation

Nom : ______________________________

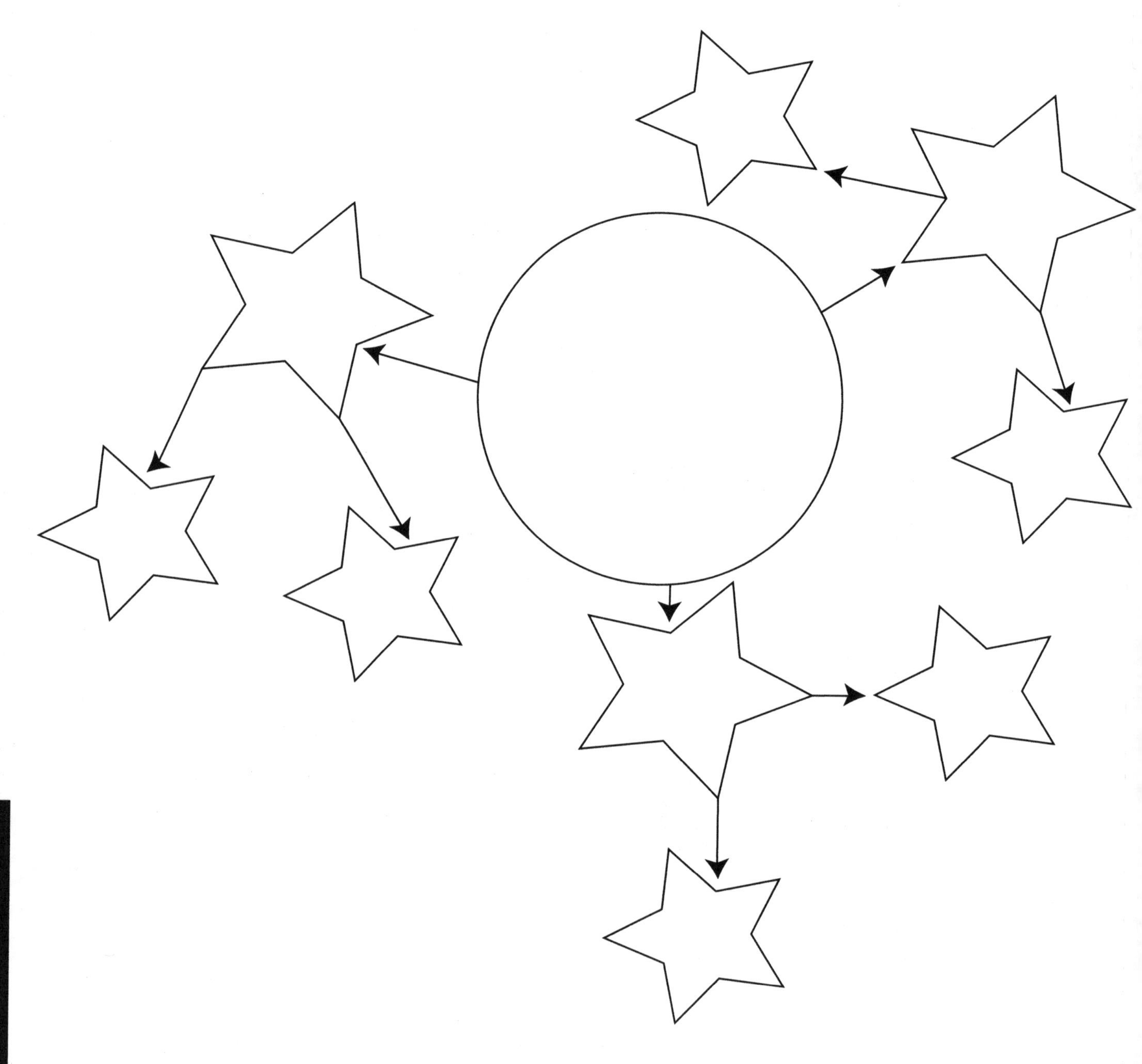

Graphique spatiotemporel

L'escalier

Nom : ______________________________

1

2

3

4

5

Nom : ______________________________

Fiche signalétique

Je présente...

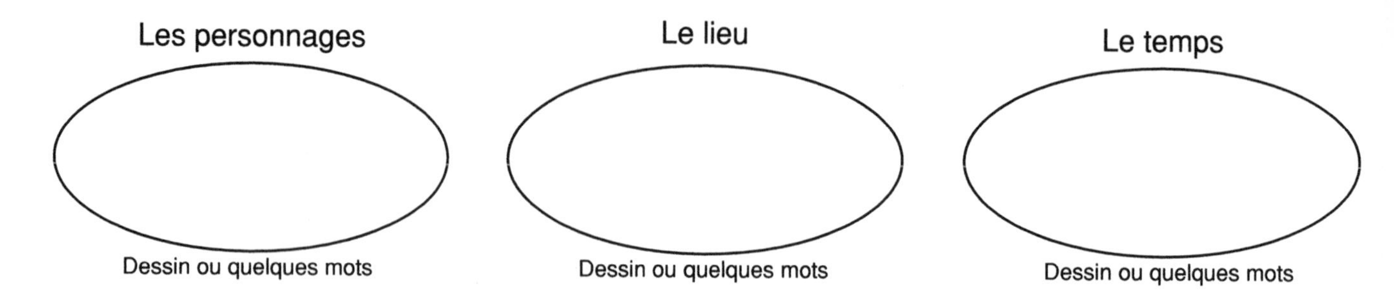

Ce qui se passe au début de l'histoire...

Dessin ou quelques mots

Ce qui arrive ensuite, l'événement déclencheur...

Dessin ou quelques mots

La ou les solutions...

Dessin ou quelques mots

À la fin, l'histoire se termine...

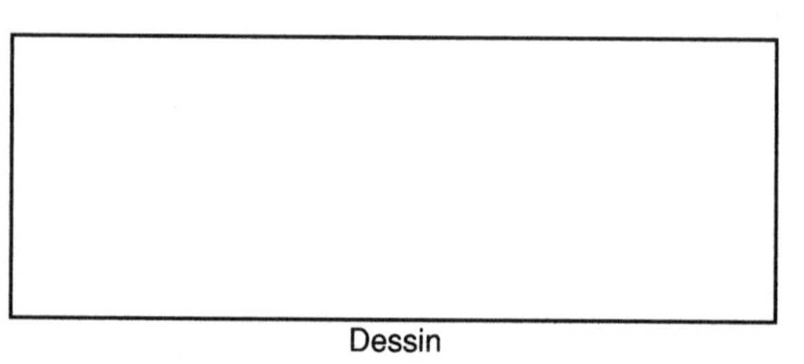

ou

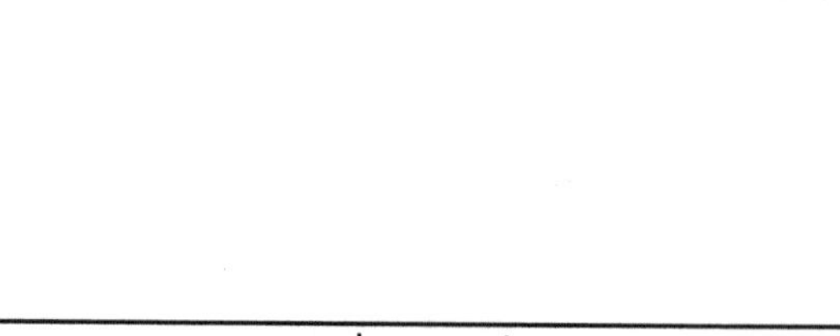

Dessin quelques mots

L'ancrage de la position d'écoute

Nous vous suggérons ici une combinaison de deux approches : la gestion mentale et la programmation neuro-linguistique (PNL).

Gestion mentale : le geste d'attention

- Le geste d'attention peut se définir comme étant la transformation de ce qui est perçu en évocations au moyen des cinq sens. C'est une action d'encodage. Lorsque l'élève est attentif, il a le projet de regarder ou d'écouter pour re-voir, re-dire ou ré-entendre dans sa tête.

Programmation neuro-linguistique : l'ancrage

- Une ancre est un stimulus externe qui réactive chez l'élève une expérience passée (le geste d'attention). Après avoir expérimenté à quelques reprises l'activité 1, vous pourrez procéder à un ancrage. Vous n'aurez qu'à vous positionner au même endroit dans la classe et dire la consigne d'écoute pour susciter le geste d'attention chez les élèves. En créant ce rituel, vous éviterez de répéter les consignes qui décrivent le geste d'attention.

Après la consigne « Prends une position d'écoute », les élèves font le geste d'attention.

L'ancrage spatial

- Choisissez dans votre classe un endroit où vous direz la consigne d'écoute. Ce lieu ancré renforce l'efficacité du message verbal.

Ancre verbale

- Lorsque vous dites aux élèves de prendre la position d'écoute, gardez les mêmes caractéristiques de voix : ton, volume, timbre, débit, et utilisez cette consigne chaque fois que vous voulez susciter le geste d'attention. Prenez note toutefois que cet ancrage est en général très efficace. Ne l'utilisez surtout pas pour discipliner les élèves !

Si vous voulez le silence, utilisez plutôt une affiche sur laquelle vous aurez écrit ou symbolisé par un dessin le comportement désiré.

Présentez l'affiche après avoir produit un son ou éteint les lumières.

À notre connaissance, cette combinaison de la gestion mentale et de la PNL présentée comme ancrage d'un geste mental n'est pas suggérée dans la littérature. Nous espérons qu'elle est conforme à l'approche de la PNL.

La classification des questions

Selon Pearson et Johnson (1978), il y a différents types de questions qui incitent à un travail cognitif différent et impliquent des gestes mentaux différents. Il est important de les distinguer et de veiller à varier les types de questions lorsque vous préparez un questionnaire.

1. Type *explicite et textuelle* : la question et la réponse découlent du texte, et la réponse est clairement indiquée par des indices donnés dans le texte.

2. Type *implicite et textuelle* : la question et la réponse découlent du texte, mais il n'y a pas d'indice grammatical qui associe la question à la réponse. Ce type démontre au moins une inférence par la personne qui lit.

3. Type *implicite et fondée sur les schémas du lecteur* : la question découle du texte et implique que la personne qui lit utilise ses propres connaissances pour y répondre.

L'élève qui infère cherche la réponse dans sa tête, donc par le moyen de l'évocation.

Le premier type de questions ne cause habituellement pas de problème. Dans votre enseignement, il est donc important de vous attarder aux types de questions implicites et à celles fondées sur les schémas du lecteur (voir Activité 9 : Je trouve la réponse dans ma tête et dans le texte, pages 33 et 34).

Les questions *implicites et textuelles*

- Ces questions requièrent une synthèse des informations tirées du texte et font appel aux connaissances personnelles de l'élève ainsi qu'à son imagination.

Les questions *implicites et fondées sur les schémas du lecteur*

- Ces questions engagent l'élève dans une démarche d'évaluation, de jugement ou d'appréciation en se fondant sur ses connaissances personnelles.

La modification des outils d'évaluation en utilisant l'introspection

Il y a trois variables à considérer :
l'évocation du texte, l'évocation des questions et la pondération.

L'évocation du texte

Si vous désirez apporter quelques modifications à un texte, il est important :

- de vous assurer que le contenu du texte, le vocabulaire utilisé et la structure des phrases permettent l'évocation (critères de lisibilité) ;

- de faire de l'introspection : observer votre procédure mentale lorsque vous lisez le texte. Si vos évocations sont imprécises, vous pourrez ajouter des images ou des parties de texte.

Pour faciliter l'évocation du texte, vous pouvez :

- ajouter des sous-titres ou numéroter les paragraphes lorsque le texte est long ;

- mettre en caractères gras ou italiques les mots sur lesquels il est important de s'arrêter (ce code informe les élèves que certains mots ou parties de texte doivent êtres évoqués avec plus de précision) ;

- inclure au bas du texte un lexique de synonymes (observez votre manière de faire lorsque vous êtes face à un mot inconnu : il y a de fortes chances que vous cherchiez un synonyme et non pas une définition) ;

- proposer aux élèves de lire leur texte en imaginant les questions qui pourraient être posées (cette façon de procéder permet à certains élèves de préciser leurs évocations).

L'évocation des questions

Si vous désirez apporter quelques modifications à un questionnaire, il est important :

- d'être vigilant dans le choix des textes que vous présentez aux enfants ; le contenu du texte ne doit pas trop s'éloigner des connaissances que possède déjà l'élève. Cependant, si vous lisez les questions avant de lire le texte et que vous répondez à plus de 50 % d'entre elles, c'est que celles-ci font probablement trop appel à des acquis. La lecture du texte n'est plus nécessaire pour répondre aux questions ;

- de vous assurer que les questions sont précises. Si vous avez besoin du corrigé pour connaître l'intention de l'auteur, c'est qu'il y a un grave problème (l'enfant n'a pas accès à ce corrigé) ;

- d'observer si « votre évocation de la réponse » est conforme aux réponses suggérées dans le corrigé (sinon, ajoutez votre réponse au corrigé).

Pour faciliter la compréhension des questions, vous pouvez :

- orienter l'élève dans le projet qu'il doit se donner avant de faire sa lecture : évoquer le texte et répondre à des questions ;
- indiquer le nombre d'informations demandées et le numéro de la page où se trouve la réponse ;
- écrire, en caractères gras ou italiques, les mots importants pour la compréhension de la question (renseignez l'enfant sur la procédure mentale au moment de lire ces mots) ;
- convenir d'un code avec l'élève pour préciser si l'information se trouve dans sa tête et dans le texte ou dans sa tête seulement (voir les images suggérées aux pages 54 et 55).

Si vous désirez concevoir votre propre questionnaire, il est important :

- de formuler les questions en deux temps : un préambule (cela dirige l'élève vers une partie du texte qu'il a en évocation) ; suivi d'une question plus précise (cela l'oriente vers un geste de compréhension ou de réflexion-confrontation de ses acquis, du texte et de la question) ;

  Ex. : – Préambule : « Quelqu'un a sonné à la porte... »
  – Question précise : « Qui est cette personne ? »

- d'être vigilant dans la formulation des questions relatives au temps et à l'espace (où et quand). Celles-ci sont souvent incomprises par les élèves parce qu'elles sont probablement formulées de façon imprécise ;
- de varier les types de questions. Voici une manière de procéder qui facilite grandement ce travail : lisez un paragraphe (quittez la perception, « le texte »). Si vous retirez une information importante de cette évocation, formulez une question en rapport avec celle-ci. Un dictionnaire de synonymes s'avère très utile lorsque vous ne voulez pas trop utiliser les mots du texte ;
- de demander l'avis d'une personne dont le style cognitif diffère du vôtre. Vous vous assurez ainsi que vos questions seront bien comprises ;
- de passer le test à quelques élèves (le questionnement peut se faire à l'oral). Les informations recueillies vous permettront de faire les dernières modifications ;
- d'inclure à la fin de ce questionnaire un espace où les élèves peuvent écrire les questions et les réponses qu'ils ont imaginées.

La pondération

Parfois, en jetant un coup d'œil rapide sur les réponses d'un élève, vous vous dites : « Il a bien répondu aux questions, son résultat devrait être assez bon. » Par la suite, en faisant le total des points, vous vous rendez compte que ses résultats sont bien inférieurs à votre estimation.

Si vous désirez modifier la pondération, vous pouvez :

- porter une attention particulière à la quantité de points accordée à chacune des questions. Si un enfant a répondu correctement à 70 % des questions, il n'est pas acceptable de lui donner une note de 50 % ;

- éviter les observations comme celle-ci : « C'est plus difficile, donc je vais accorder plus de points. » De tels jugements détruisent la validité des instruments de mesure. Il n'existe pas de questions qui ont plus de « valeur » ;

- évaluer la compréhension de l'élève d'une autre manière, par exemple par une évaluation orale, quand le résultat de celui-ci ne correspond pas à son niveau de lecture. Évaluer les élèves par des questions écrites s'avère un moyen économique ; cependant, les questions orales pourraient être plus appropriées pour certains d'entre eux.

Exemples de textes

Zéro les bécots !

La visite chez Guillaume

Nous vous proposons deux textes avec mise en projet et questions qui s'ensuivent. Ces textes ont été choisis en respectant les trois variables suivantes : l'évocation du texte, l'élaboration de questions à partir de ces évocations et la pondération. Ils peuvent être utilisés tels quels ou servir d'exemples pour la modification des outils d'évaluation de votre choix.

Guide de l'enseignant

Les particularités du questionnaire de l'élève

La formulation des questions se fait en deux temps :

- Un préambule (dirige l'élève vers une partie du texte qu'il a en évocation) ;
- Suivi d'une question plus précise (l'oriente vers un geste de compréhension ou de réflexion – confrontation de ses acquis, du texte et de la question).

Ex. : – Préambule de la question 3 : « À 7 ans, Martin a décidé... »
– Question précise : « Selon Martin, comment font Antoine et son père... ? »

Dans le questionnaire de l'élève, vous remarquerez des espaces pour les enfants qui désirent écrire les questions et les réponses qu'ils ont imaginées. Si vous avez l'habitude de faire de l'enseignement à l'autoquestionnement avec vos élèves, vous pouvez évaluer cette habileté.

Toutes les réponses valent un point. Une réponse signifie un contenu évoqué.

Il n'y a pas de corrigé dans ce guide. Construisez votre propre corrigé en vous servant de vos évocations et des réponses des élèves. Si les réponses de certains d'entre eux vous intriguent, questionnez-les oralement. Vous pourrez ainsi mieux juger de la pertinence de leurs réponses.

Observations faites par le personnel enseignant après la passation du test :

Chapitre 1

Question 1. Après l'analyse des réponses des élèves (dialogue pédagogique), nous avons constaté que la majorité d'entre eux ont fait quatre évocations. La question vaut donc trois points puisqu'on demande trois évocations sur quatre. Nous avons accepté la réponse : les parents (la lectrice ou le lecteur évoque le père et la mère).

Chapitre 2

Question 1b. Nous avons accepté les réponses suivantes : « il coupait des carottes » ou « il coupait des carottes en bâtonnets ». La question : « Que préparait-il ? » oriente l'élève vers l'évocation d'une action, couper des carottes. Si l'élève précise la forme des carottes, il complète la phrase, mais cela n'indique pas une meilleure compréhension.

Question 2. Nous avons accepté comme nom « Ti Galop » ou « Grand Galop ». L'élève peut croire qu'il s'agit d'un personnage. Nous avons aussi accepté le « chauffeur de taxi ».

Question 5. Nous avons accepté « parce que ça rime avec pincette ».

Le calibrage des textes de 3e année (selon le programme du MEQ, 1993)

Le texte doit présenter les caractéristiques suivantes :

- Longueur de 200 à 400 mots pour les textes courants ou davantage pour les textes à caractère narratif. *Zéro les bécots !* contient 782 mots, c'est pourquoi nous suggérons 2 lectures ;

- Moins de 2 p. 100 de mots dont le sens est inconnu ;

- Phrases d'une longueur d'environ 16 mots, constituées de 1, 2 ou parfois 3 propositions ;

- Contenu concret et adapté au développement cognitif de l'élève de huit ou neuf ans.

La présentation du questionnaire aux élèves

Présentez aux élèves les images qui indiquent que les informations attendues sont :

- dans leur tête et dans le texte ;
- ou seulement dans leur tête (questions 7 et 8 ; expliquez aux élèves que ces espaces sont réservés aux questions et réponses qu'ils auront imaginées en faisant la lecture de leur texte).

S'ils le désirent, les élèves peuvent lire les questions avant de lire le texte.

La présentation du texte aux élèves – chapitre 1

Vérifiez la compréhension des mots suivants :

bretelles, placard, veilleuse, célébrer, embrassades, précipitent, faufiler, enthousiasme, solution, précises, déclenche

Au besoin, donnez des explications (synonymes). Laissez des traces de ces explications au tableau.

La mise en projet

Il est important d'orienter les élèves dans le <u>*projet*</u> qu'ils doivent se donner avant de faire leur lecture : évoquer leur texte pour répondre aux questions qui s'ensuivent. Les questions sont formulées de façon à solliciter un contenu évoqué. Les élèves qui n'ont pas le projet d'évoquer leur texte ou qui n'ont pas développé cette habitude peuvent être en sérieuses difficultés.

C'est l'histoire d'un petit garçon qui s'appelle Martin. C'est le jour de son anniversaire et il a un gros problème.

- *Dans le texte que tu vas lire, Martin va expliquer son problème et la façon dont il va s'y prendre pour le résoudre. En lisant le texte* Zéro les bécots !, *prends le temps de bien imaginer les personnages (tu peux même faire semblant d'entrer dans la peau du personnage principal : Martin). Ainsi, il sera plus facile pour toi d'imaginer ce que fait Martin et ce qu'il dit.*

- *En lisant le premier chapitre, prends le temps de bien imaginer : les personnages de l'histoire, ce que Martin fait à chacun de ses anniversaires, ce qui inquiète Martin.*

  ✧ Insistez sur les mots « prends le temps d'imaginer » et faites des arrêts après chaque proposition. ✧

- *En lisant le texte, tu peux aussi imaginer les questions que l'on pourrait te poser sur l'histoire. Si tu as tes propres questions et des réponses qui viennent dans ta tête, il y a un espace dans le questionnaire où tu pourras les écrire.*

  ✧ Insistez sur les mots « imaginer des questions » et faites des arrêts après chaque proposition. ✧

La présentation du texte aux élèves – chapitre 2

Invitez les élèves à faire revenir l'histoire qu'ils ont lue dans le premier chapitre (temps d'évocation). Demandez à quelques-uns de résumer le premier chapitre. Posez des questions pour susciter leur implication : *Lorsque tu as lu le premier chapitre de* Zéro les bécots !, *est-ce que tu t'es imaginé dans la peau du personnage principal « Martin » ?*

Vérifiez la compréhension des mots suivants :

transformée, l'allée, s'exclame, hochant, s'immobilise, p'tit galop

Au besoin, donnez des explications (synonymes). Laissez des traces de ces explications au tableau.

La mise en projet

- *Tu vas maintenant lire le deuxième chapitre de* Zéro les bécots ! *En lisant, tu vas découvrir ce que Martin a fait pour éviter les bécots des adultes. Prends le temps de bien imaginer les personnages (tu peux faire semblant d'entrer dans la peau du personnage principal : Martin). Ainsi, il sera plus facile pour toi d'imaginer la solution qu'il a trouvée.*

- *En lisant le chapitre deux, porte attention à la conversation que Martin a avec son père, aux personnages dont il parle, à tout ce qui se passe le jour de son anniversaire et à la façon dont il va s'y prendre pour résoudre son problème.*

  ✧ Insistez sur les mots « prends le temps d'imaginer » et « porte attention ». Faites des arrêts après chaque proposition. ✧

- *En lisant le texte, tu peux aussi imaginer les questions que l'on pourrait te poser sur l'histoire**.

  ✧ Insistez sur les mots « imaginer des questions » et faites des arrêts après chaque proposition. ✧

Remettez aux élèves le questionnaire et le texte. Présentez-leur les images qui indiquent que les informations attendues sont :

- dans leur tête et dans le texte ;
- ou seulement dans leur tête (question 4).

S'ils le désirent, les élèves peuvent lire les questions avant de lire le texte.

* Le fait de se questionner permet à l'élève de préciser ses évocations.

Extrait de *Zéro les bécots !*, de Lucie Bergeron, collection Libellule, Montréal, Éditions Héritage, 1993.

Chapitre 1

L'opération est déclenchée

Le jour de mes quatre ans, j'ai jeté les bretelles qui retenaient mon pantalon depuis toujours. À cinq ans, j'ai rangé au plus profond du placard ma couverture de bébé dont je ne m'étais encore jamais séparé. Le soir de mes six ans, j'ai éteint ma veilleuse pour toute la vie.

Aujourd'hui, c'est mon anniversaire. J'ai l'âge de raison : sept ans ! Et j'ai décidé que je ne veux plus ni donner, ni recevoir de becs, de baisers, de bisous, de bécots ! Rien de rien.

Si, d'après papa, à sept ans, on devient un homme, alors je désire maintenant agir en homme. Je ne veux pas embrasser, mais serrer la main. Je veux faire comme papa lorsqu'il rencontre des grandes personnes. Comme mon grand frère Antoine aussi.

Mais j'ai un problème, un grave problème, parce que papa et maman ont organisé une superbe fête pour célébrer cette date importante. Naturellement, ils ont invité mes oncles, mes tantes, mes cousins et mes cousines. Et c'est une famille de bécoteux !

Lors du dernier souper familial, j'ai essayé de leur serrer la main. Eh bien, ils n'ont même pas vu mon bras tendu ! Ils se sont penchés les uns après les autres, tout en parlant les uns avec les autres, et ils m'ont tous embrassé en l'espace de trois minutes. Dix-huit personnes multipliées par deux becs, ça finit par étourdir. Et surtout, ça mouille les joues !

Heureusement, mes cousins et mes cousines sont trop intelligents pour perdre du temps avec des embrassades. Dès qu'ils mettent les pieds dans la maison, ils se précipitent au sous-sol pour aller jouer.

J'ai pensé que je pourrais peut-être me faufiler avec eux. Mais aujourd'hui je n'y échapperai pas. Comme je suis la vedette de la journée, mes oncles et mes tantes vont me poursuivre dans toutes les pièces pour me souhaiter un bon anniversaire et m'embrasser avec enthousiasme. Plutôt quatre fois que deux !

Alors, j'ai réfléchi. Très fort. Il ne me reste qu'une solution : passer à l'attaque. Aller au-devant du danger. Il est onze heures précises, je déclenche donc l'opération « Zéro les bécots ! ».

Chapitre 2

Derrière la grille

— Papa, je vais jouer dehors, lui dis-je en posant la main sur la poignée de la porte.

— D'accord, mais reste autour de la maison, Martin, répond-il en continuant à couper des carottes en bâtonnets. La visite va bientôt arriver. Et enlève-moi ce casque de hockey. Tu vas mourir de chaleur avec ça sur la tête.

— Impossible ! L'entraîneur de l'équipe nous répète toujours de le porter quand on s'entraîne. Tu ne voudrais pas qu'il m'arrive un accident le jour de mon anniversaire, hein ?

Et je referme la porte derrière moi avec un sourire d'ange.

Après trois lancers parfaits sur le mur de la maison, j'ai l'impression que ma tête s'est transformée en bouilloire. J'ai chchchchaud ! Mais un bon agent en mission peut tout endurer. Même un lourd casque de hockey en juillet !

J'entends soudain des pas dans l'allée. Je reconnais le bruit sec des hauts talons de ma tante Claudinette, surnommée la pincette.

— Martin, mon beau Martin ! s'exclame-t-elle de sa voix aiguë en s'approchant. Aurai-je l'honneur d'être la première à t'offrir mes vœux de bon anniversaire ?

— Bien sûr, Claudinette, acquiesçai-je d'un ton aimable en me retournant vers elle.

— Oh ! mais comment vais-je faire avec cette grille qui te couvre le visage ? Je ne pourrai pas te donner mon baiser préféré, le bec à pincettes ! S'il te plaît, Martin, relève-la.

— Je ne peux pas. C'est coincé !

J'enchaîne aussitôt d'un air malheureux :

— On va être obligés de se serrer la main, ma tante.

Et voilà ! Pas de bécot !

Claudinette s'éloigne vers la maison en hochant la tête. Elle fera un blessé de moins aujourd'hui, celle-là. Je déteste ses becs à pincettes. Mes joues brûlent jusqu'au lendemain lorsqu'elle m'attrape.

Bon, je crois que je vais me reposer un peu. C'est épuisant la vie de chef d'opération secrète. Mon cœur bat aussi vite que les talons de ma tante quand elle court pour embrasser quelqu'un.

Je viens juste de m'asseoir sous mon érable préféré, le seul arbre de notre cour d'ailleurs, lorsque j'aperçois un taxi qui s'immobilise devant la maison.

Zéro les bécots ! Il faut que je rentre immédiatement. Celle qui me prend toujours pour un bébé vient d'arriver. La vieille tante de maman et son « p'tit galop, grand galop ».

Nom : ______________________ Groupe : ______________

Chapitre 1 : L'opération est déclenchée

1. Dans le premier chapitre de ce texte, Martin parle de plusieurs personnes de sa famille. Qui sont ces personnes ? (**5 informations**) /3 points

1A cousins ______ 1B cousines ______

2A ______ 2B ______ 1 point

3A ______ 3B ______ 1 point

4A ______ 1 point

2. À chacun de ses anniversaires, Martin prend des décisions. Écris ce qu'il a fait à 4, 5 et 6 ans. /3 points

À 4 ans	
À 5 ans	
À 6 ans	

3. À 7 ans, Martin a décidé qu'il ne voulait plus ni donner, ni recevoir de becs. Il veut agir comme un homme. Selon Martin, **que font** Antoine et son père lorsqu'ils rencontrent des grandes personnes ? /1 point

______

______

4. C'est l'anniversaire de Martin et ses parents lui ont organisé une belle fête. Pourtant, il a un grave problème. Selon toi, quel problème a-t-il ? /1 point

____

____

5. Les cousins et cousines de Martin évitent les bécots des adultes. **Que font-ils** pour ne pas être embrassés ? /1 point

Texte

____

____

6. Martin a pensé faire comme ses cousins, mais cette solution ne sera pas efficace pour lui. Pourquoi ? /1 point

Texte

____

____

Voici les questions et réponses que j'ai imaginées :

7. Question : ____

____

Réponse : ____

Texte

____

____

8. Question : ____

____

Réponse : ____

Texte

____

____

Total /10 points

Chapitre 2 : Derrière la grille

1a. Martin décide d'aller jouer dehors.
Avant qu'il ne sorte, son père lui donne **deux conseils.** Que lui dit-il ? /2 points

1- ______________________________

2- ______________________________

1b. Le père de Martin était occupé à la cuisine à préparer des légumes. Que préparait-il ? /1 point

____

2. Dans le deuxième chapitre de ce texte, Martin parle de plusieurs personnes. Il parle de lui, de son père, de sa mère et aussi de **trois autres personnes**. Qui sont ces personnes ? (**2 informations** sur 3) /2 points

____

3. Le jour de son anniversaire, Martin joue dehors et il fait très chaud. À quel mois de l'année a-t-il son anniversaire ? /1 point

Le **mois** de : ______________________________

4. Dès son arrivée, la tante Claudinette veut embrasser Martin, mais **quelque chose** l'empêche de l'embrasser. Qu'est-ce que c'est ? /1 point

____

5. Martin a donné un surnom à sa tante Claudinette. Il la surnomme « la pincette ». Selon toi, pourquoi lui a-t-il donné ce surnom ? /1 point

____

6. Martin l'a échappé belle, sa tante n'a pas pu l'embrasser. Lorsqu'elle s'éloigne enfin de lui, il va se reposer. **Où** Martin va-t-il s'asseoir ? /1 point

____

7. À la fin de cette histoire, Martin voit la vieille tante de sa mère arriver en taxi. Qu'est-ce que Martin décide de **faire** ? /1 point

____

Total /10 points

Page 6

Guide de l'enseignant

Les particularités du questionnaire de l'élève

La formulation des questions se fait en deux temps :

- Un préambule (dirige l'élève vers une partie du texte qu'il a en évocation) ;

- Suivi d'une question plus précise (l'oriente vers un geste de *compréhension ou de réflexion* – confrontation de ses acquis, du texte et de la question).

  Ex. : – Préambule : « Quelqu'un a sonné à la porte... »
  – Question précise : « Quel est le nom de la personne... ? »

Dans le questionnaire de l'élève, vous remarquerez des espaces pour les enfants qui désirent écrire les questions et les réponses qu'ils ont imaginées. Si vous avez l'habitude de faire de l'enseignement à l'autoquestionnement avec vos élèves, vous pouvez évaluer cette habileté.

Toutes les réponses valent un point. Une réponse signifie un contenu évoqué.

Il n'y a pas de corrigé dans ce guide. Construisez votre propre corrigé en vous servant de vos évocations et des réponses des élèves. Si les réponses de certains d'entre eux vous intriguent, questionnez-les oralement. Vous pourrez ainsi mieux juger de la pertinence de leurs réponses.

Le calibrage des textes de 4e année (selon le programme du MEQ, 1993)

Le texte doit présenter les caractéristiques suivantes :

- Longueur de 300 à 600 mots pour les textes courants ou davantage pour les textes à caractère narratif. « La visite chez Guillaume » contient 791 mots. Vous pouvez lire la première partie (284 mots) avec les élèves ;

- Moins de 2 p. 100 de mots dont le sens est inconnu ;

- Phrases d'une longueur moyenne de 20 mots, contenant 2 ou 3 propositions.

Si vous jugez que le texte est trop long pour vos élèves, vous pouvez lire la première partie avec eux (voir le texte de l'élève et la présentation du texte aux élèves).

La présentation du questionnaire aux élèves

Présentez aux élèves les images qui indiquent que les informations attendues sont :

- dans leur tête et dans le texte ;
- ou seulement dans leur tête (questions 4a, 8 et 9 ; expliquez aux élèves que ces espaces sont réservés aux questions et réponses qu'ils auront imaginées en faisant la lecture de leur texte).

S'ils le désirent, les élèves peuvent lire les questions avant de lire le texte.

La présentation du texte aux élèves

Vérifiez la compréhension des mots suivants :

blêmi, une voix qui tonne, véhicules, bâtiment,
poissonnerie, quelque chose de juste, se ressaisit,
en l'honneur de, sens de l'humour, regarder de façon suspecte

Au besoin, donnez des explications (synonymes). Laissez des traces de ces explications au tableau.

Remettez aux élèves le questionnaire et le texte.

Présentez les personnages (image des deux familles) et l'histoire.

C'est l'histoire de Fred, un petit garçon. Ses parents veulent le récompenser de ses bonnes notes. Ils acceptent donc de le laisser partir pour quelques jours chez son ami Guillaume Dion.

Vous pouvez lire avec vos élèves la première partie du texte. Pendant la lecture, revenez aux illustrations des deux familles pour bien situer les personnages (il est peu courant que les enfants appellent leurs parents par leur prénom). Situez bien les enfants dans le temps. Plusieurs d'entre eux auront de la difficulté à comprendre que Fred fait un « retour en arrière » et explique ce qui s'est passé il y a deux semaines.

Après cette lecture, vous pouvez poser des questions à l'oral ou amener les élèves à imaginer des questions sur la partie du texte qu'ils viennent d'évoquer.

Questions que vous pourriez poser : *Fred a eu de bonnes notes dans son bulletin. Quelle récompense demande-t-il à ses parents ? Comment réagit sa maman à cette demande ? Comment réagit papa à cette demande ? Pour quelle raison compare-t-on Fred à un épagneul ?*

La mise en projet suivante vise à susciter la participation active de l'élève dans sa tâche de lecture et à l'inciter à s'autoquestionner.

La mise en projet

- *Dans la suite du texte que tu vas lire, Fred va te raconter sa visite chez son ami Guillaume. Prends le temps de bien imaginer les personnages (tu peux même faire semblant d'entrer dans la peau du personnage principal : Fred). Ainsi, il sera plus facile pour toi d'imaginer les blagues que fait M. Dion, l'endroit où habite Guillaume, l'utilité de chaque bâtiment de la ferme et enfin les aliments qu'il va manger.*

  ✧ Insistez sur les mots « prends le temps de bien imaginer » et faites des arrêts après chaque proposition. ✧

- *En lisant le texte, tu peux aussi imaginer les questions que l'on pourrait te poser sur l'histoire. Si tu as tes propres questions et des réponses qui viennent dans ta tête, il y a un espace dans le questionnaire où tu pourras les écrire*.*

  ✧ Insistez sur les mots « imaginer les questions » et faites des arrêts après chaque proposition. ✧

* Le fait de se questionner permet à l'élève de préciser ses évocations.

La famille de Fred
André
Liane (Lili)
Paul
Fred
Le frère de Fred
Les parents de Fred

La famille de Guillaume
Guillaume
M. Dion (Gérard)
Le père de Guillaume

Première partie à lire avec les élèves

Extrait de *Le chat de mes rêves*, de Marie-Danielle Croteau, publié aux Éditions de la courte échelle, 1994, Montréal, Canada, H2T 1S4.

La visite chez Guillaume

Voilà. Je suis prêt. Dans cinq minutes, le père de Guillaume viendra me chercher. Tandis que Liane me fait réviser mes leçons de prudence, André revoit le contenu de mon sac à dos.

Eh oui, j'ai réussi ! C'est mon bulletin, finalement, qui a fait pencher la balance du bon côté. Des **A** en mathématiques et en français, ça se récompense !

— Qu'est-ce qui te ferait le plus plaisir, Fred ?

— Aller chez Guillaume !

Liane a blêmi. André a toussé. Puis il a dit :

— C'est vrai que Fred est raisonnable, Lili. Il faudrait peut-être qu'on commence à lui faire un peu plus confiance.

Cher papa. J'ai failli lui sauter au cou. J'allais m'élancer, quand ma mère a répondu :

— Ce n'est pas à Fred que je ne fais pas confiance. C'est à la vie. Il y a tellement d'accidents ! S'il fallait qu'il lui arrive quelque chose...

J'ai imploré mon père du regard. Je devais avoir l'air d'un épagneul. Les yeux tristes, les oreilles pendantes et un filet de bave au coin de la bouche. André a passé sa main dans mes cheveux et il a dit :

— C'est l'heure d'aller au lit. Va te coucher. Ta mère et moi, on va en parler.

Je n'ai pas entendu leur discussion, mais je sais qu'elle a duré longtemps. Le lendemain matin, ils m'ont annoncé la bonne nouvelle. Ils avaient téléphoné au père de Guillaume et ils s'étaient mis d'accord sur les dates.

Fin de la lecture avec l'enseignante ou l'enseignant

Comme ces deux semaines m'ont paru longues ! Mais enfin, c'est aujourd'hui ! C'est même tout de suite.

On sonne à la porte.

— Je vous le confie. Prenez-en bien soin ! supplie ma mère, la voix tremblante. Et toi, Fred, sois sage !

— Ne vous en faites pas, madame. Quand ils auront fini de traire les vaches, de leur donner du foin et de pelleter le fumier, ils n'auront plus d'énergie pour les mauvais coups !

Heureusement, M. Dion éclate de rire. Ma mère était sur le point de perdre connaissance. Je l'ai vu à son visage, qui changeait de couleur.

— Je l'ai bien eue, ta mère, hein ? rigole M. Dion, dans la camionnette.

— Oui, monsieur. C'était une bonne blague.

— Gérard ! Moi, c'est Gérard, tonne-t-il d'une voix comme j'en entends dans les opéras que mes parents écoutent le soir. Et ce n'était pas une blague !

Inquiet, je regarde Guillaume qui me fait un clin d'œil. Ouf ! Quel drôle de père ! Pendant les trente minutes que dure le voyage, il n'arrête pas de raconter des histoires. Et de se taper les cuisses. Je sens qu'on va bien s'amuser.

À la maison, un repas nous attend dans le four. Ça sent bon, mais je suis trop excité pour avoir faim. Je veux tout voir avant de m'asseoir.

La grange et les vaches. La laiterie. Le poulailler. La remise où sont garés le tracteur et d'autres véhicules que je ne connais pas. La tasserie, où on garde le foin pour l'hiver.

Nous allons d'un bâtiment à l'autre, Guillaume et moi. Ils sont tous vert foncé et les cadres des fenêtres sont rouges.

C'est la plus belle ferme du monde, j'en suis certain. Il y a au moins six énormes sapins et, sous chacun, Guillaume s'est fait une cachette.

Et puis la maison où nous retournons maintenant ! Elle est tellement grande ! On pourrait y entrer trois fois celle de mes parents. Il y aurait même encore de la place pour la poissonnerie. Ça ne me semble pas très juste, tout ça.

— Peut-être, répond Gérard. Mais chez toi, il y a une maman et un petit frère.

Oups ! J'aurais dû me taire. Guillaume m'a raconté comment sa mère et son frère étaient morts, dans un accident de train. La voix de M. Dion a changé. J'ai peur d'avoir tout gâché.

Un moment de silence.

Enfin, il se ressaisit :

— Allons, à table, les enfants !

— Qu'est-ce qu'on mange, papa ?

— En entrée : de la cervelle de veau en croûte. Comme plat principal : de la langue de boeuf aux épinards. Et pour dessert, du gâteau aux tomates. En l'honneur de notre ami Fred.

Fiou ! Il a retrouvé son sens de l'humour. À moins que ce ne soit vrai ? Qu'il ne me serve véritablement toutes ces horreurs ? Je regarde de façon suspecte les plats qui s'alignent devant nous.

Je n'ai pas le choix. Je prends une grande respiration et je pique ma fourchette dans la croûte dorée.

Ouf ! Du pâté au poulet !

Nom : ______________________ Groupe : ______________

1. Quelqu'un a sonné à la porte de la maison de Fred. **Quel est le nom** de la personne qui a actionné (pesé sur) la sonnette ? /1 point

Texte

____

2. En blague, M. Dion dit à Liane que Fred et Guillaume seront trop fatigués pour faire des mauvais coups. Quelles tâches (travail) vont les fatiguer ainsi ? (**3 tâches**) /3 points

Texte

____

____

____

3. M. Dion est venu chercher Fred pour l'amener à sa ferme. **Dans quel véhicule** voyagent-ils ? **Combien de temps** dure le voyage ? **Que fait** M. Dion pendant qu'il conduit ? /3 points

Véhicule (dans lequel ils vont chez M. Dion) Temps (que dure le voyage)

______________________ ______________________

Texte

Ce que fait M. Dion (pendant qu'il conduit)

____

4. Fred est étonné de voir tous les bâtiments de la ferme. Décris **l'utilité** de chaque bâtiment. /3 points

a) Utilité du poulailler	______________________
b) Utilité de la remise	______________________
c) Utilité de la tasserie	______________________

Texte

Texte

5. Fred envie Guillaume et son père d'avoir une grande maison. Cependant, M. Gérard Dion pense que Fred est encore plus chanceux parce qu'il a quelque chose que lui n'a pas. De quoi parle-t-il ? /1 point

Texte

____

6. M. Dion fait croire à Fred qu'il va manger des plats peu appétissants. Quels sont les aliments qu'il a peur de manger ? /3 points

Texte

____

____

____

7. Fred a eu peur pour rien. Il ne mangera pas toutes ces horreurs. Que va-t-il manger ? /1 point

Texte

____

Total /15 points

Voici les questions et réponses que j'ai imaginées :

8. Question : ____

____

Texte

Réponse : ____

____

____

9. Question : ____

____

Texte

Réponse : ____

____

Fiches de l’enseignant

L'utilisation de la fiche de l'élève

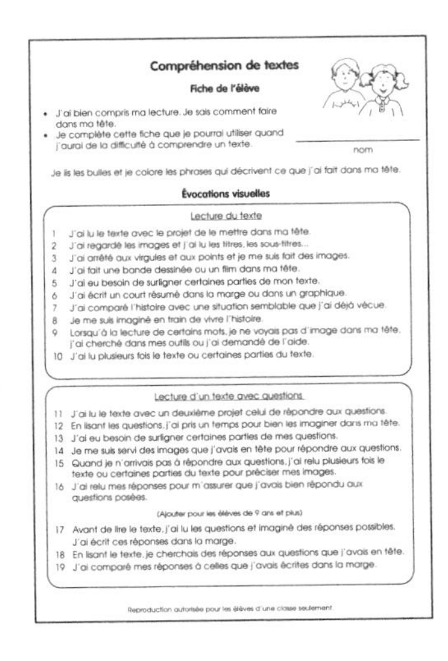

Compréhension de textes

Fiche de l'élève

- J'ai bien compris ma lecture. Je sais comment faire dans ma tête.
- Je complète cette fiche que je pourrai utiliser quand j'aurai de la difficulté à comprendre un texte.

____
nom

Je lis les bulles et je colore les phrases qui décrivent ce que j'ai fait dans ma tête.

Évocations visuelles

Lecture du texte

1 J'ai lu le texte avec le projet de le mettre dans ma tête.
2 J'ai regardé les images et j'ai lu les titres, les sous-titres...
3 J'ai arrêté aux virgules et aux points et je me suis fait des images.
4 J'ai fait une bande dessinée ou un film dans ma tête.
5 J'ai eu besoin de surligner certaines parties de mon texte.
6 J'ai écrit un court résumé dans la marge ou dans un graphique.
7 J'ai comparé l'histoire avec une situation semblable que j'ai déjà vécue.
8 Je me suis imaginé en train de vivre l'histoire.
9 Lorsqu'à la lecture de certains mots, je ne voyais pas d'image dans ma tête, j'ai cherché dans mes outils ou j'ai demandé de l'aide.
10 J'ai lu plusieurs fois le texte ou certaines parties du texte.

Lecture d'un texte avec questions

11 J'ai lu le texte avec un deuxième projet celui de répondre aux questions.
12 En lisant les questions, j'ai pris un temps pour bien les imaginer dans ma tête.
13 J'ai eu besoin de surligner certaines parties de mes questions.
14 Je me suis servi des images que j'avais en tête pour répondre aux questions.
15 Quand je n'arrivais pas à répondre aux questions, j'ai relu plusieurs fois le texte ou certaines parties du texte pour préciser mes images.
16 J'ai relu mes réponses pour m'assurer que j'avais bien répondu aux questions posées.

(Ajouter pour les élèves de 9 ans et plus)

17 Avant de lire le texte, j'ai lu les questions et imaginé des réponses possibles. J'ai écrit ces réponses dans la marge.
18 En lisant le texte, je cherchais des réponses aux questions que j'avais en tête.
19 J'ai comparé mes réponses à celles que j'avais écrites dans la marge.

La fiche de l'élève est une feuille de référence que vous pouvez utiliser avec les élèves qui éprouvent des difficultés. Cette fiche se remplit en plusieurs étapes après avoir vécu quelques activités d'introspection (observation de la procédure mentale).

Lorsque l'élève découvre comment il procède dans sa tête lorsqu'il saisit bien le sens d'une lecture, il prend conscience de la procédure mentale qui lui assure la réussite. Plus l'élève sera conscient des représentations qu'il se donne lorsqu'il comprend bien une lecture, plus il aura à sa disposition un ensemble de représentations qu'il pourra utiliser, modifier, transférer dans d'autres situations de lectures similaires ou plus complexes.

Comment remplir la fiche de l'élève

Idéalement, du moins pour les élèves qui éprouvent des difficultés en lecture, cette fiche devrait être remplie individuellement. Si vous ne pouvez le faire, demandez la collaboration des parents. Les fiches adressées à ceux-ci devraient leur permettre d'identifier le mode d'évocation de leur enfant, et l'élève pourra par la suite remplir sa fiche.

Après avoir identifié le mode d'évocation de l'élève (voir la façon de faire à la fiche suivante), présentez-lui sa fiche et demandez-lui de lire chaque encadré. Il peut, avec un surligneur, colorer chaque énoncé qui lui semble vrai. Expliquez-lui que pour comprendre le texte que vous lui avez lu, il n'a pas eu besoin de faire toutes les procédures mentales qui y sont écrites. Il colore seulement ce qu'il a eu besoin de faire. Plus tard, vous lui présenterez d'autres lectures et d'autres procédures pourront possiblement être colorées.

Cette fiche aura plusieurs fonctions par la suite :

- L'élève pourra la consulter avant de lire un texte afin de se donner le projet de se représenter cette lecture selon la procédure mentale qui lui semble la plus appropriée.
- Lorsque l'élève aura de la difficulté à comprendre un texte, il pourra, avec votre assistance, prendre conscience de ses omissions et des procédures mentales qui l'aident à se représenter un texte.

Dans quelque temps, cela deviendra une habitude mentale pour l'enfant. Il n'aura plus besoin d'utiliser sa fiche, car il aura intériorisé les procédures mentales.

L'identification du mode d'évocation d'un élève

Pour identifier le mode d'évocation d'un enfant en difficulté, il est préférable de conduire le dialogue pédagogique avec un seul élève.

Lisez à votre élève un court texte qui favorise les représentations mentales (visuelles ou auditives). Ensuite, posez-lui les questions ci-dessous. La procédure mentale qu'il a utilisée pour comprendre sa lecture devrait être présente dans sa tête.

Questions pour connaître le mode d'évocation : visuel, auditif ou verbal

- Rappel de l'histoire : *Parle-moi de ce que j'ai lu.* (histoire rappelée par l'élève)
- *Quand j'ai lu le texte, est-ce que tu voyais des images ? Tu te racontais l'histoire ou tu entendais une voix dans ta tête ?* (réponse de l'élève)

Si le rappel de l'histoire est précis, l'évocation de l'élève est bien construite ; il a donc utilisé son mode d'évocation privilégié. Si le rappel semble confus, demandez-lui de préciser ses images ou son histoire. Vous pouvez aussi lui faire quelques propositions :

- *Est-ce que cette histoire parlait d'un chien ou d'une tortue ? Est-ce que...*

Si l'élève apporte des précisions, son évocation était bien construite ; il a simplement quelques difficultés à raconter. Par contre, s'il demeure imprécis même après votre aide, suggérez-lui d'utiliser l'autre mode d'évocation pendant que vous lui relisez le texte. Après votre lecture, demandez-lui ceci :

- *Est-ce que tu as eu plus de facilité à imaginer l'histoire en utilisant cette « manière de faire mentale » ?* (réponse de l'élève)
- Rappel de l'histoire : *Parle-moi de ce que j'ai lu.* (histoire rappelée par l'élève)

Si ce rappel est précis, le mode d'évocation privilégié est probablement celui que vous lui avez suggéré.

Pour confirmer votre évaluation, demandez à l'élève, le lendemain, de faire revenir le texte ou l'histoire dans sa tête. S'il vous répond qu'il ne s'en souvient plus, suggérez-lui de prendre le temps de faire revenir ses images ou ses mots dans sa tête. Après qu'il aura raconté l'histoire, demandez-lui ceci :

- *Quand tu as fait revenir l'histoire dans ta tête, est-ce que ce sont les mots ou les images qui t'ont permis de te rappeler l'histoire ?* (réponse de l'élève)

Souvent, dans la réactivation d'une expérience vécue, l'élève devient plus conscient de sa procédure mentale.

Les réponses obtenues vous permettent maintenant de déterminer si l'élève remplit sa fiche du côté des évocations visuelles ou de celui des évocations auditives.

Comment aider un élève en difficulté

Utilisez cette fiche lorsqu'un élève a de la difficulté à comprendre un texte.

Avant de lui présenter un texte à lire, mettez-le en projet de se le représenter.
Suggérez-lui ces étapes :

La lecture d'un texte

1. Regarde les images sur la page. Lis le titre, les sous-titres ou la première phrase de chaque paragraphe. (Il aura ainsi une idée générale du contenu du texte.)

2. Lis ton texte en l'imaginant dans ta tête.
   Fais un arrêt à chacun des points et imagine la phrase.
   Fais-toi un film dans ta tête (visuel) ou raconte-toi l'histoire dans ta tête (auditif).
   (Les questions que vous avez posées à la page 92 vous permettent de choisir l'une de ces deux propositions.)

3. Imagine ton texte dans ta tête en plaçant l'histoire en ordre. (Pour l'aider à mettre de l'ordre dans ce qu'il a imaginé, suggérez-lui de faire des espaces dans lesquels il place ses images, ses mots...)

   Grahique spatiotemporel | | | |

4. Raconte-moi l'histoire que tu as imaginée dans ta tête.

Voir les activités 1, 2, 3, 4, 5, 6, 7 et 10.

La lecture d'un texte avec questions

Voir les activités 3, 8 et 9.

La collaboration des parents est souvent nécessaire pour les élèves qui éprouvent plus de difficultés. Nous vous suggérons de cibler celles-ci et de remettre les activités appropriées aux parents.

Fiches des parents

L'identification du mode d'évocation de votre enfant

Utilisez cette fiche pour identifier le mode d'évocation de votre enfant. Par la suite, vous pourrez remplir sa fiche avec lui.

Lisez à votre enfant un court texte qui favorise les représentations mentales (visuelles ou auditives). Ensuite, posez-lui les questions ci-dessous. La procédure mentale qu'il a utilisée pour comprendre sa lecture devrait être présente dans sa tête.

Questions pour connaître le mode d'évocation : visuel, auditif ou verbal

- Rappel de l'histoire : *Parle-moi de ce que j'ai lu.* (histoire rappelée par l'enfant)
- *Quand j'ai lu le texte, est-ce que tu voyais des images ? Tu te racontais l'histoire ou tu entendais une voix dans ta tête ?* (réponse de l'enfant)

Si le rappel de l'histoire est précis, l'évocation de l'enfant est bien construite ; il a donc utilisé son mode d'évocation privilégié. Si le rappel semble confus, demandez-lui de préciser ses images ou son histoire. Vous pouvez aussi lui faire quelques propositions :

- *Est-ce que cette histoire parlait d'un chien ou d'une tortue ? Est-ce que...*

Si l'enfant apporte des précisions, son évocation était bien construite ; il a simplement quelques difficultés à raconter. Par contre, s'il demeure imprécis même après votre aide, suggérez-lui d'utiliser l'autre mode d'évocation pendant que vous lui relisez le texte. Après votre lecture, demandez-lui ceci :

- *Est-ce que tu as eu plus de facilité à imaginer l'histoire en utilisant cette « manière de faire mentale » ?* (réponse de l'enfant)
- Rappel de l'histoire : *Parle-moi de ce que j'ai lu.* (histoire rappelée par l'enfant)

Si ce rappel est précis, le mode d'évocation privilégié est probablement celui que vous lui avez suggéré.

Pour confirmer votre évaluation, demandez à votre enfant, le lendemain, de faire revenir le texte ou l'histoire dans sa tête. S'il vous répond qu'il ne s'en souvient plus, suggérez-lui de prendre le temps de faire revenir ses images ou ses mots dans sa tête. Après qu'il aura raconté l'histoire, demandez-lui ceci :

- *Quand tu as fait revenir l'histoire dans ta tête, est-ce que ce sont les mots ou les images qui t'ont permis de te rappeler l'histoire ?* (réponse de l'enfant)

Souvent, dans la réactivation d'une expérience vécue, l'enfant devient plus conscient de sa procédure mentale.

Les réponses obtenues vous permettent maintenant de déterminer si votre enfant remplit sa fiche du côté des évocations visuelles ou de celui des évocations auditives.

Comment remplir la fiche de votre enfant

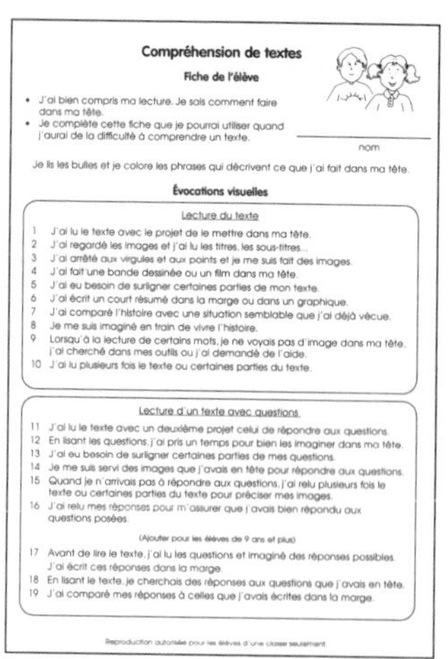

Compréhension de textes

Fiche de l'élève

- J'ai bien compris ma lecture. Je sais comment faire dans ma tête.
- Je complète cette fiche que je pourrai utiliser quand j'aurai de la difficulté à comprendre un texte.

nom

Je lis les bulles et je colore les phrases qui décrivent ce que j'ai fait dans ma tête.

Évocations visuelles

Lecture du texte

1 J'ai lu le texte avec le projet de le mettre dans ma tête.
2 J'ai regardé les images et j'ai lu les titres, les sous-titres...
3 J'ai arrêté aux virgules et aux points et je me suis fait des images.
4 J'ai fait une bande dessinée ou un film dans ma tête.
5 J'ai eu besoin de surligner certaines parties de mon texte.
6 J'ai écrit un court résumé dans la marge ou dans un graphique.
7 J'ai comparé l'histoire avec une situation semblable que j'ai déjà vécue.
8 Je me suis imaginé en train de vivre l'histoire.
9 Lorsqu'à la lecture de certains mots, je ne voyais pas d'image dans ma tête, j'ai cherché dans mes outils ou j'ai demandé de l'aide.
10 J'ai lu plusieurs fois le texte ou certaines parties du texte.

Lecture d'un texte avec questions

11 J'ai lu le texte avec un deuxième projet celui de répondre aux questions.
12 En lisant les questions, j'ai pris un temps pour bien les imaginer dans ma tête.
13 J'ai eu besoin de surligner certaines parties de mes questions.
14 Je me suis servi des images que j'avais en tête pour répondre aux questions.
15 Quand je n'arrivais pas à répondre aux questions, j'ai relu plusieurs fois le texte ou certaines parties du texte pour préciser mes images.
16 J'ai relu mes réponses pour m'assurer que j'avais bien répondu aux questions posées.

(Ajouter pour les élèves de 9 ans et plus)

17 Avant de lire le texte, j'ai lu les questions et imaginé des réponses possibles. J'ai écrit ces réponses dans la marge.
18 En lisant le texte, je cherchais des réponses aux questions que j'avais en tête.
19 J'ai comparé mes réponses à celles que j'avais écrites dans la marge.

Après avoir identifié le mode d'évocation de votre enfant, présentez-lui sa fiche du côté approprié à son mode d'évocation et demandez-lui de lire chaque encadré. Il peut, avec un surligneur, colorer chaque énoncé qui lui semble vrai. Expliquez-lui que pour comprendre le texte que vous lui avez lu, il n'a pas eu besoin de faire toutes les procédures mentales écrites sur sa fiche. Il colore seulement ce qu'il a eu besoin de faire. Dans un autre temps, vous lui présenterez de nouvelles lectures et d'autres procédures devront possiblement être colorées.

Plus tard, cela deviendra une habitude mentale. Il n'aura plus besoin d'utiliser sa fiche, car il aura intériorisé les procédures mentales.

Comment aider votre enfant à se représenter un texte

Avant de lui présenter un texte à lire, mettez-le en projet de se le représenter. Suggérez-lui ces étapes :

1. Regarde les images sur la page. Lis le titre, les sous-titres ou la première phrase de chaque paragraphe. (Il aura ainsi une idée générale du contenu du texte.)

2. Lis ton texte en l'imaginant dans ta tête.
   Fais un arrêt à chacun des points et imagine la phrase.
   Fais-toi un film dans ta tête (visuel) ou raconte-toi l'histoire dans ta tête (auditif). (Les questions que vous avez posées à la page 97 vous permettent de choisir l'une de ces deux propositions.)

3. Imagine ton texte dans ta tête en plaçant l'histoire en ordre. (Pour l'aider à mettre de l'ordre dans ce qu'il a imaginé, suggérez-lui de faire des espaces dans lesquels il place ses images, ses mots...)

   Grahique spatiotemporel | | | |

4. Raconte-moi l'histoire que tu as imaginée dans ta tête.

Si votre enfant éprouve des difficultés à répondre aux questions posées sur un texte, demandez à son enseignante ou à son enseignant de vous remettre les activités 3, 8 et 9.

Fiche de l’élève

Compréhension de textes

- J'ai bien compris ma lecture. Je sais comment faire dans ma tête.
- Je remplis cette fiche que je pourrai utiliser quand j'aurai de la difficulté à comprendre un texte.

Nom : ______________________

Je lis les bulles et je colore les phrases qui décrivent ce que j'ai fait dans ma tête.

Les évocations visuelles

La lecture du texte

1. J'ai lu le texte avec le projet de le mettre dans ma tête.
2. J'ai regardé les images et j'ai lu les titres, les sous-titres...
3. J'ai arrêté aux virgules et aux points et je me suis fait des images.
4. J'ai fait une bande dessinée ou un film dans ma tête.
5. J'ai eu besoin de surligner certaines parties de mon texte.
6. J'ai écrit un court résumé dans la marge ou dans un graphique.
7. J'ai comparé l'histoire avec une situation semblable que j'ai déjà vécue.
8. Je me suis imaginé en train de vivre l'histoire.
9. À la lecture de certains mots, lorsque je ne voyais pas d'image dans ma tête, j'ai cherché dans mes outils ou j'ai demandé de l'aide.
10. J'ai lu plusieurs fois le texte ou certaines parties du texte.

La lecture d'un texte avec questions

11. J'ai lu le texte avec un deuxième projet, celui de répondre aux questions.
12. En lisant les questions, j'ai pris un temps pour bien les imaginer dans ma tête.
13. J'ai eu besoin de surligner certaines parties de mes questions.
14. Je me suis servi des images que j'avais en tête pour répondre aux questions.
15. Quand je n'arrivais pas à répondre aux questions, j'ai relu plusieurs fois le texte ou certaines parties du texte pour préciser mes images.
16. J'ai relu mes réponses pour m'assurer que j'avais bien répondu aux questions posées.

(Ajouter pour les élèves de 9 ans et plus)

17. Avant de lire le texte, j'ai lu les questions et imaginé des réponses possibles. J'ai écrit ces réponses dans la marge.
18. En lisant le texte, je cherchais des réponses aux questions que j'avais en tête.
19. J'ai comparé mes réponses à celles que j'avais écrites dans la marge.

Compréhension de textes

- J'ai bien compris ma lecture. Je sais comment faire dans ma tête.
- Je remplis cette fiche que je pourrai utiliser quand j'aurai de la difficulté à comprendre un texte.

Nom : ____________________

Je lis les bulles et je colore les phrases qui décrivent ce que j'ai fait dans ma tête.

Les évocations auditives

<u>La lecture du texte</u>

1. J'ai lu le texte avec le projet de le mettre dans ma tête.
2. J'ai regardé les images et j'ai lu les titres, les sous-titres...
3. J'ai arrêté aux virgules et aux points et j'ai re-dit ou ré-entendu les phrases dans ma tête.
4. J'ai raconté une histoire dans ma tête en décrivant ce qui se passait : en premier, ensuite, à la fin...
5. J'ai eu besoin de surligner certaines parties de mon texte.
6. J'ai écrit un court résumé dans la marge ou dans un graphique.
7. J'ai comparé l'histoire avec une situation semblable que j'ai déjà vécue.
8. Je me suis imaginé en train de vivre l'histoire.
9. À la lecture de certains mots, lorsque je ne pouvais re-dire ou ré-entendre, j'ai cherché dans mes outils ou j'ai demandé de l'aide.
10. J'ai lu plusieurs fois le texte ou certaines parties du texte.

<u>La lecture d'un texte avec questions</u>

11. J'ai lu le texte avec un deuxième projet, celui de répondre aux questions.
12. En lisant les questions, j'ai pris le temps de bien les imaginer dans ma tête.
13. J'ai eu besoin de surligner des parties de mes questions.
14. Je me suis servi de l'histoire que j'avais en tête pour répondre aux questions.
15. Quand je n'arrivais pas à répondre aux questions, j'ai relu plusieurs fois le texte ou certaines parties du texte pour préciser mes images.
16. J'ai relu mes réponses pour m'assurer que j'avais bien répondu aux questions posées.

(Ajouter pour les élèves de 9 ans et plus)

17. Avant de lire le texte, j'ai lu les questions et imaginé des réponses possibles. J'ai écrit ces réponses dans la marge.
18. En lisant le texte, je cherchais des réponses aux questions que j'avais en tête.

Chenelière/Didactique

A APPRENTISSAGE

Apprendre et enseigner autrement
P. Brazeau, L. Langevin
- Guide d'animation
- Vidéo n° 1 Déclencheur
- Vidéo n° 2 Un service-école pour jeunes à risque d'abandon scolaire
- Vidéo n° 3 Le parrainage académique
- Vidéo n° 4 Le monitorat d'enseignement
- Vidéo n° 5 La solidarité académique

Être prof, moi j'aime ça!
Les saisons d'une démarche de croissance pédagogique
L. Arpin, L. Capra

Intégrer les matières de la 7e à la 9e année
Ouvrage collectif

La gestion mentale
Au cœur de l'apprentissage
Danielle Bertrand-Poirier, Claire Côté, Francesca Gianesin, Lucille Paquette Chayer
- Compréhension de lecture
- Grammaire
- Mémorisation
- Résolution de problèmes

L'apprentissage à vie
La pratique de l'éducation des adultes et de l'andragogie
Louise Marchand

Les intelligences multiples
Guide pratique
Bruce Campbell

Les intelligences multiples dans votre classe
Thomas Armstrong

Par quatre chemins
L'intégration des matières au cœur des apprentissages
Martine Leclerc

Pour apprendre à mieux penser
Trucs et astuces pour aider les élèves à gérer leur processus d'apprentissage
Pierre-Paul Gagné

Stratégies pour apprendre et enseigner autrement
Pierre Brazeau

Vivre la pédagogie du projet collectif
Collectif Morissette-Pérusset

C CITOYENNETÉ ET COMPORTEMENT

Citoyens du monde
Éducation dans une perspective mondiale
Véronique Gauthier

Collection Rivière Bleue
Éducation aux valeurs par le théâtre
Louis Cartier, Chantale Métivier
- Sois poli, mon Kiki (la politesse, 6 à 9 ans)
- Les petits plongeons (l'estime de soi, 6 à 9 ans)
- Ah! les jeunes, ils ne respectent rien (les préjugés, 9 à 12 ans)
- Coup de main (la coopération, 9 à 12 ans)

Et si un geste simple donnait des résultats...
Guide d'intervention personnalisée auprès des élèves
Hélène Trudeau et coll.

J'apprends à être heureux
Robert A. Sullo

La réparation: pour une restructuration de la discipline à l'école
Diane C. Gossen
- Manuel
- Guide d'animation

La théorie du choix
William Glasser

L'éducation aux droits et aux responsabilités au primaire
Commission des droits de la personne et des droits de la jeunesse du Québec

L'éducation aux droits et aux responsabilités au secondaire
Commission des droits de la personne et des droits de la jeunesse du Québec

Mon monde de qualité
Carleen Glasser

PACTE: Un programme de développement d'habiletés socio-affectives
B. W. Doucette, S. M. Fowler
- Trousse pour 4e à 7e année (primaire)
- Trousse pour 7e à 12e année (secondaire)

Relevons le défi
Guide sur les questions liées à la violence à l'école
Ouvrage collectif

Ec ÉDUCATION À LA COOPÉRATION

Apprendre la démocratie
Guide de sensibilisation et de formation selon l'apprentissage coopératif
C. Évangéliste-Perron, M. Sabourin, C. Sinagra

Apprenons ensemble
L'apprentissage coopératif en groupes restreints
Judy Clarke et coll.

Découvrir la coopération
Activités d'apprentissage coopératif pour les enfants de 3 à 8 ans
B. Chambers et coll.

Je coopère, je m'amuse
100 jeux coopératifs à découvrir
Christine Fortin

La coopération au fil des jours
Des outils pour apprendre à coopérer
Jim Howden, Huguette Martin

La coopération en classe
Guide pratique appliqué à l'enseignement quotidien
Denise Gaudet et coll.

L'apprentissage coopératif
Théories, méthodes, activités
Philip C. Abrami et coll.

Le travail de groupe
Stratégies d'enseignement pour la classe hétérogène
Elizabeth G. Cohen

Structurer le succès
Un calendrier d'implantation de la coopération
Jim Howden, Marguerite Kopiec

E ÉVALUATION ET COMPÉTENCES

Construire la réussite
L'évaluation comme outil d'intervention
R. J. Cornfield et coll.

Le portfolio au service de l'apprentissage et de l'évaluation
Roger Farr, Bruce Tone
Adaptation française : Pierrette Jalbert

Portfolios et dossiers d'apprentissage
Georgette Goupil
- VIDÉOCASSETTE

Profil d'évaluation
Une analyse pour personnaliser votre pratique
Louise M. Bélair
- GUIDE DU FORMATEUR

G GESTION DE CLASSE

À la maternelle... voir GRAND!
Louise Sarrasin, Marie-Christine Poisson

Apprendre... c'est un beau jeu
L'éducation des jeunes enfants dans un centre préscolaire
M. Baulu-MacWillie, R. Samson

Construire une classe axée sur l'enfant
S. Schwartz, M. Pollishuke

Je danse mon enfance
Guide d'activités d'expression corporelle et de jeux en mouvement
Marie Roy

La classe interculturelle
Guide d'activités et de sensibilisation
Cindy Bailey

La multiclasse
Outils, stratégies et pratiques pour la classe multiâge et multiprogramme
Colleen Politano, Anne Davies
Adaptation française : Monique Le Pailleur

Le conseil de coopération
Un outil pédagogique pour l'organisation de la vie de classe et la gestion des conflits
Danielle Jasmin

L'enfant-vedette (vidéocassette)
Alan Taylor, Louise Sarrasin

Quand les enfants s'en mêlent
Ateliers et scénarios pour une meilleure motivation
Lisette Ouellet

Quand revient septembre...
Jacqueline Caron
- GUIDE SUR LA GESTION DE CLASSE PARTICIPATIVE (VOLUME 1)
- RECUEIL D'OUTILS ORGANISATIONNELS (VOLUME 2)

L LANGUE ET COMMUNICATION

À livres ouverts
Activités de lecture pour les élèves du primaire
Debbie Sturgeon

Attention, j'écoute
Jean Gilliam DeGaetano

École et habitudes de lecture
Étude sur les perceptions d'élèves québécois de 9 à 12 ans
Flore Gervais

Histoire de lire
La littérature jeunesse dans l'enseignement quotidien
Danièle Courchesne

Le français en projets
Activités d'écriture et de communication orale
Line Massé, Nicole Rozon, Gérald Séguin

Plaisir d'apprendre
Louise Dore, Nathalie Michaud

Une phrase à la fois
Brigitte Stanké, Odile Tardieu

P PARTENARIAT ET LEADERSHIP

Amorcer le changement
Diane Gossen, Judy Anderson

Communications et relations entre l'école et la famille
Georgette Goupil

Devoirs sans larmes
Lee Canter
- Guide à l'intention des parents pour motiver les enfants à faire leurs devoirs et à réussir à l'école
- Guide pour les enseignantes et les enseignants de la 1re à la 3e année
- Guide pour les enseignantes et les enseignants de la 4e à la 6e année

Enseigner à l'école qualité
William Glasser

L'approche-service appliquée à l'école
Une gestion centrée sur les personnes
Claude Quirion

Nouveaux paradigmes pour la création d'écoles qualité
Brad Greene

Pour le meilleur... jamais le pire
Prendre en main son devenir
Francine Bélair

S SCIENCES ET MATHÉMATIQUES

Cinq stratégies gagnantes pour l'enseignement des sciences et de la technologie
Laurier Busque

De l'énergie, j'en mange !
Alimentation à l'adolescence : information et activités
Carole Lamirande

Éducation technologique de la 1re à la 9e année
Daniel Hupé

La classe verte
101 activités pratiques sur l'environnement
Adrienne Mason

La pensée critique en mathématiques
Guide d'activités
Anita Harnadek

Les mathématiques selon les normes du NCTM, 9e à 12e année
- Analyse de données et statistiques
- Géométrie sous tous les angles
- Intégrer les mathématiques
- Un programme qui compte pour tous

Question d'expérience
Activités de résolution de problèmes en sciences et en technologie
David Rowlands

Sciences en ville
J. Bérubé, D. Gaudreau

Supersciences
Susan V. Bosak
- À la découverte des sciences
- L'environnement
- Le règne animal
- Les applications de la science
- Les astres
- Les plantes
- Les roches
- Le temps
- L'être humain
- Matière et énergie

Un tremplin vers la technologie
Stratégies et activités multidisciplinaires
Ouvrage collectif

T Technologies de l'information et des communications

La classe branchée
Enseigner à l'ère des technologies
Judith H. Sandholtz et coll.

La classe multimédia
A. Heide, D. Henderson

L'ordinateur branché à l'école
Scénarios d'apprentissage
Marie-France Laberge

Points de vue sur le multimédia interactif en éducation
Entretiens avec 13 spécialistes européens et nord-américains
Claire Meunier

MEMBRE DU GROUPE SCABRINI

Québec, Canada
2001